2024年度ネット試験&第168回試験（2024年11月17日実施）の

重要論点はこれだ!!

	第1回	第2回		
第1問	仕訳	仕訳	仕訳	
第2問	(1)勘定記入（支払利息） (2)商品有高帳	(1)勘定記入（固定資産） (2)補助簿の選択	(1)勘定記入（法人税等） (2)売掛金勘定と得意先元帳	(1)勘定記入（支払地代） (2)繰越利益剰余金
第3問	精算表作成	損益計算書・貸借対照表作成	決算整理後残高試算表作成	損益計算書・貸借対照表作成

ネット試験と統一試験の

試験概要と受験の流れを把握しよう

試験方式	**ネット試験方式** 商工会議所が認定した全国の「テストセンター」で実施（自宅での受験は不可）	**統一試験（ペーパー試験方式）** 試験会場で受験
試験日	**随時**（テストセンターが定める日時。統一試験前後10日間他、休止期間あり。）	**年3回** 6月（第2日曜日）、11月（第3日曜日）、2月（第4日曜日）
試験時間	60分	
試験範囲	共通（出題区分表による）	
受験料	3,300円	
申込方法	「テストセンター」の全国統一申込サイトから、受験希望日時、受験希望会場、受験者情報等を入力し、クレジットカード、コンビニ払いなどにより受験料および事務手数料を決済	試験の約2か月前から開始 申込期間は各商工会議所によって異なる 実施のない商工会議所はネット試験で受験を！
受験の流れ	① 申込みをした試験日時、会場で受験 ② 受験者ごとに異なる試験問題がインターネットを介して受験者のパソコンに配信され、受験者はパソコン上で解答を入力（計算用紙は配布されるが、試験終了後に回収される）	①指定された受験会場で受験 ②問題用紙・答案用紙・計算用紙が配布され、答案用紙に解答を記入。試験終了後、問題用紙・答案用紙・計算用紙は回収される
合格発表	① 試験終了後、試験システムにより自動採点し、合否を判定 ② 合格者にはデジタル合格証を即日交付	①試験日の約2週間から1か月後に合否を発表 ②紙の合格証書を交付

あなたは、「ネット試験」

年３回の統一試験、各自の学習の進捗状況で試験日を設定できるネット試験。
あなたは、「ネット試験」「統一試験」のどっ

第１問 仕訳問題

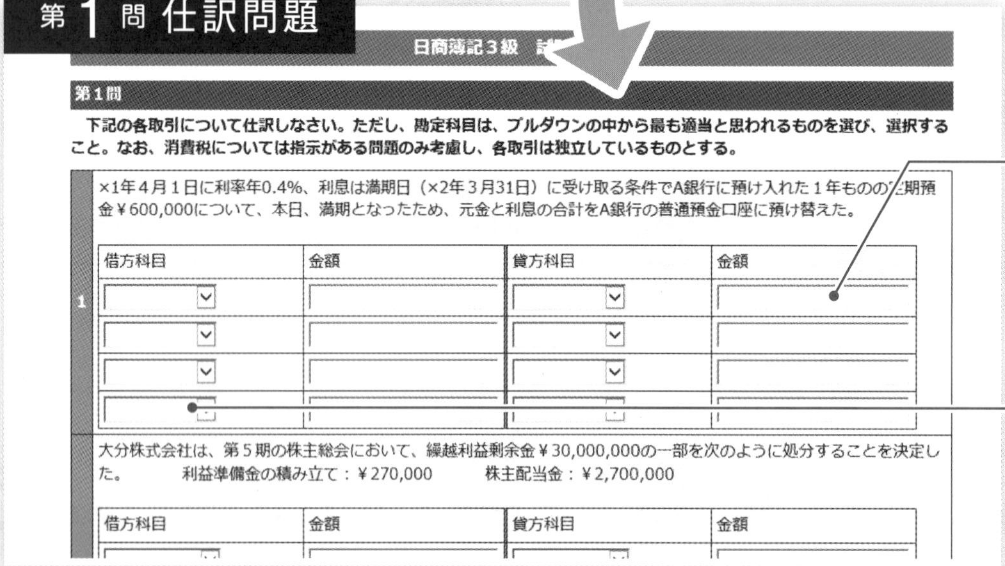
日商簿記３級　試

第１問

下記の各取引について仕訳しなさい。ただし、勘定科目は、プルダウンの中から最も適当と思われるものを選び、選択すること。なお、消費税については指示がある問題のみ考慮し、各取引は独立しているものとする。

1 ×1年４月１日に利率年0.4%、利息は満期日（×2年３月31日）に受け取る条件でA銀行に預け入れた１年ものの定期預金¥600,000について、本日、満期となったため、元金と利息の合計をA銀行の普通預金口座に預け替えた。

借方科目	金額	貸方科目	金額

大分株式会社は、第５期の株主総会において、繰越利益剰余金¥30,000,000の一部を次のように処分することを決定した。　利益準備金の積み立て：¥270,000　株主配当金：¥2,700,000

借方科目	金額	貸方科目	金額

❶ 数字の入力に際してはテンキーで行う。桁区切りの「,」については、自動入力されるので、入力不要。

❷ 仕訳の勘定科目はプルダウン形式で選択。確定する前にスクロールしてしまうと、解答が変わってしまうので必ず確定させること。

第３問 決算問題

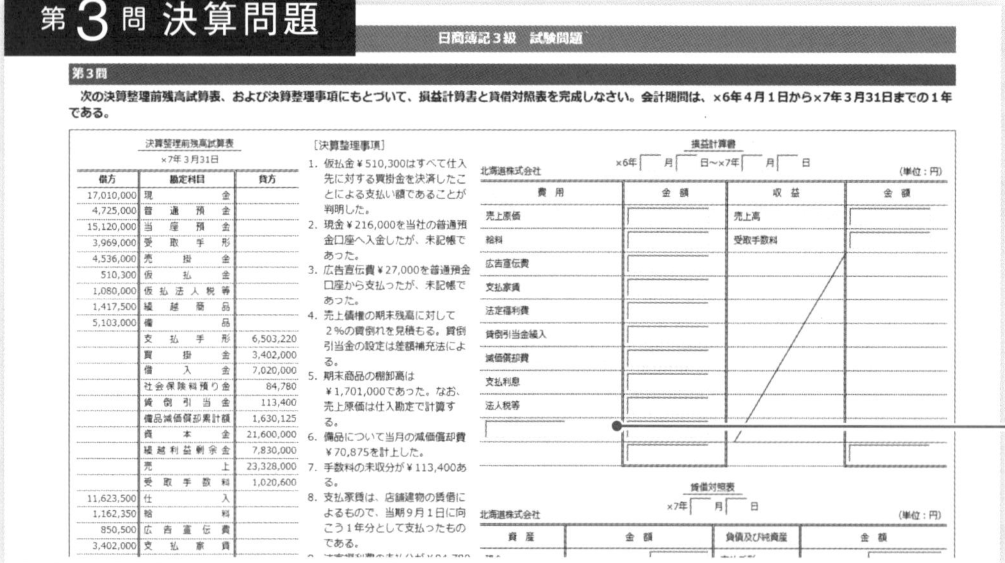
日商簿記３級　試験問題

第３問

次の決算整理前残高試算表、および決算整理事項にもとづいて、損益計算書と貸借対照表を完成しなさい。会計期間は、×6年４月１日から×7年３月31日までの１年である。

決算整理前残高試算表
×7年３月31日

借方	勘定科目	貸方
17,010,000	現金	
4,725,000	普通預金	
15,120,000	当座預金	
3,969,000	受取手形	
4,536,000	売掛金	
510,300	仮払金	
1,080,000	仮払法人税等	
1,417,500	繰越商品	
5,103,000	備品	
	支払手形	6,503,220
	買掛金	3,402,000
	借入金	7,020,000
	社会保険料預り金	84,780
	貸倒引当金	113,400
	備品減価償却累計額	1,630,125
	資本金	21,600,000
	繰越利益剰余金	7,830,000
	売上	23,328,000
	受取手数料	1,020,600
11,623,500	仕入	
1,162,350	給料	
850,500	広告宣伝費	
3,402,000	支払家賃	

［決算整理事項］
1. 仮払金¥510,300はすべて仕入先に対する買掛金を決済したことによる支払い額であることが判明した。
2. 現金¥216,000を当社の普通預金口座へ入金したが、未記帳であった。
3. 広告宣伝費¥27,000を普通預金口座から支払ったが、未記帳であった。
4. 売上債権の期末残高に対して２%の貸倒れを見積もる。貸倒引当金の設定は差額補充法による。
5. 期末商品の棚卸高は¥1,701,000であった。なお、売上原価は仕入勘定で計算する。
6. 備品について当月の減価償却費¥70,875を計上した。
7. 手数料の未収分が¥113,400ある。
8. 支払家賃は、店舗建物の賃借によるもので、当期９月１日に向こう１年分として支払ったものである。

損益計算書
北海道株式会社　×6年　月　日～×7年　月　日　（単位：円）

費用	金額	収益	金額
売上原価		売上高	
給料		受取手数料	
広告宣伝費			
支払家賃			
法定福利費			
貸倒引当金繰入			
減価償却費			
支払利息			
法人税等			

貸借対照表
北海道株式会社　×7年　月　日　（単位：円）

資産	金額	負債及び純資産	金額

❸ 表示科目等の入力については、プルダウン形式で選択するものと、直接入力するものとがある。テストセンターのPCはデフォルトでは英数字入力になっているので、直接入力の場合には、PCの設定を日本語入力に変更してから入力する。

最新情報は右記サイトで確認！

ネット試験について、新しい情報が得られれば、右記「TAC出版　日商簿記書籍　読者様徹底サポート特設ページ」にて公開していきますので、ご利用ください。
また、公式情報につきましては、**日本商工会議所の検定試験情報ページ**もあわせてご確認ください。

TAC出版

https://bookstore.tac-school.co.jp/pages/add/lp/boki_kaitei/

TAC出版　検索

「統一試験」どっち派？

ち派？　いずれも出題範囲は同じで、学習方法は変わりませんが、それぞれの特徴を確認してみましょう。

第1問 仕訳問題

下記の各取引について仕訳しなさい。ただし、勘定科目は設問ごとに最も適当と思わ　のを選び、答案用紙の（　）の中に記号で解答すること。なお、消費税は指示がある問題のみ考慮すること。

1．得意先福岡株式会社に対する売掛金¥280,000のうち、¥50,000は郵便為替証書で、¥130,000は同社振出の小切手で受け取った。なお、残額¥100,000については、以前に返品を受けていたが未処理であった。

ア．現金　　イ．当座預金　　ウ．仕入
エ．売上　　オ．受取手形　　カ．売掛金

2．大分株式会社に対する買掛金¥130,000について、当座預金口座から振り込んで支払った。なお、振込手数料¥500は当社負担とし、同口座から引き落とされた。

ア．売掛金　　イ．現金
エ．支払利息　　オ．当座預

	借方		貸方	
	記号	金額	記号	金額
1	（　）		（　）	
	（　）		（　）	
	（　）		（　）	
	（　）		（　）	
2	（　）		（　）	
	（　）		（　）	

❶ 設問ごとに示された勘定科目を選び、記号で解答。
記号を書き間違えないように注意。

第3問 決算問題

次の決算整理前残高試算表と決算整理事項等にもとづいて、損益計算書と貸借対照表を完成しなさい。なお、消費税の仮受け・仮払いは売上取引・仕入取引のみで行い、税抜方式で処理する。会計期間は、×2年4月1日から×3年3月31日である。

決算整理前残高試算表
×3年3月31日

借方	勘定科目	貸方
2,400,000	現金	
1,340,000	普通預金	
2,700,000	当座預金	
480,000	受取手形	
464,000	売掛金	
280,000	仮払消費税	
	未収入金	120,000
259,200	繰越商品	
64,000	仮払法人税等	

［決算整理事項等］

1．商品代金の未収額¥120,000を自己振出の小切手で回収したさいに、借方科目を現金、貸方科目を未収入金と仕訳していたことが判明した。
2．当期の2月1日に備品¥600,000を小切手を振り出して購入し、同日から使用していたが未処理である。
3．×3年3月31日に商品¥20,000（本体価格）を掛けで仕入れていたが、未処理であった。10%の消費税についても適切に処理する。
4．売上債権の期末残高に対して4%の貸倒れを見積

）月（　）日　（単位：円）

費用	金額	収益	金額
売上原価	（　）	売上高	3,880,000
給料	560,000	受取手数料	（　）
支払家賃	（　）		
貸倒引当金繰入	（　）		
減価償却費	（　）		
支払利息	（　）		

❷ 余白を利用して、メモを残すことができ、集計する際の時間短縮につながる。

パソコン操作が得意ではない人、スケジュール管理が難しい人におすすめ。

日商簿記書籍 読者様徹底サポート特設ページでも
ネット試験の模擬問題を公開中！
そのほか、受験前におさえておきたい情報を順次、公開します！

日本商工会議所

https://www.kentei.ne.jp/

＼「あてる」で合《う》格《か》る！／

本書の必勝活用術

これだけやれば、絶対うかる！
次ページから詳しく解説！

STEP 1 本試験までの合格スケジュールを作成！

読者特典❶

「合格カレンダー」を参考に
自分のスケジュールを作り、実行

STEP 2 本試験に必要な重要論点を確認！

本書の第1部に収載している
「解き方テキスト」を使用して、
論点を総確認！

STEP 3 時間を計って自力で問題を解く！

「問題・答案用紙」を本書からとり外す ▶ 時間を計って問題を解く ▶ 読者特典❷ ネット試験を受けるなら模擬試験プログラムにアクセスして、ネット試験形式で解く

解答用紙 DOWNLOAD 何回でもOK！

3級の制限時間は 60分

第1回から第4回までの4回分、
本試験に沿った問題形式で“本番さながら”の演習が可能！

ネット試験・統一試験問わず、机の上の限られたスペースをどう使うか、といったことも、試験当日に焦らないための意外と重要な試験対策。試験を模擬体験する気持ちで解いてみましょう。

STEP 4 答えあわせをして、今の実力をチェック！

「解答・解答への道」を見て、答えあわせ ▶ 読者特典❸ 「繰り返しシート」に点数・時間を記録

3級の合格基準は 70点以上

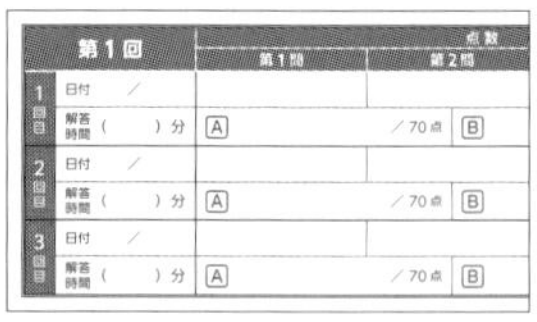

答えあわせをしたら、解答に付いているⒶⒷマークそれぞれがどのくらい合っていたかをチェックしましょう。

Ⓐ 絶対に落としてはいけない ◀ 全てできると70点確保
Ⓑ できれば落としたくない

繰り返し学習が合格のカギ！ **最低3回は繰り返そう！**

STEP 5 復習すべき論点がわかったら、弱点を集中特訓！

		スッキリわかる	簿記の教科書 簿記の問題集	合格テキスト 合格トレーニング	学習のポイント
商品売買	返品	第2章	CHAPTER02	テーマ04	仕入勘定、売上勘定につき、変動させるものとさせないものをしっかり区別すること。
	諸掛り				
現金・預金	通貨代用証券	第3章	CHAPTER03	テーマ05	現金の範囲、実際有高との不一致時における期中期末それぞれの処理を覚える。
	現金過不足			テーマ17	
	銀行口座間の振替	第4章		テーマ05	引き出しされる預金勘定を減少させ、入金される預金勘定を増加させる。
小口現金		第5章		テーマ06	補給のタイミングに注意する。
手形		第6章	CHAPTER04	テーマ08	振出人、名宛人（受取人）のどちらのポジションなのかをはっきりさせて考える。
その他の期中	貸付金・借入金	第7章	CHAPTER06	テーマ11	それぞれどのようなシチュエーションで発生する勘定科目なのかをしっかり把握する。
	未収入金・未払金	第8章		テーマ12	
	前払金・前受金			テーマ03	
	仮払金・仮受金			テーマ13	
	立替金・預り金				
	受取商品券			テーマ03	
	貸倒れ	第10章	CHAPTER11	テーマ20	いつ発生した売掛金なのか注意しよう。貸倒処理・回収がいつなのか確認しよう。
	償却債権取立益				
	有形固定資産の購入	第11章	CHAPTER 05,11	テーマ12	月割計算を正確に！ 問題文にチェックは必須。資産の原価に含めるものと含めないものもしっかり区別…

第1部
「解き方テキスト」
で論点の
ポイントを把握

読者特典❹

重要論点の
「解き方レクチャー」
で論点を確実に理解

読者特典❺

仕訳Webアプリ
「受かる！仕訳猛特訓」
で予想仕訳を極める

本書の
必勝活用術
STEP
1

本試験までの合格スケジュールを作成！

読者特典❶
合格カレンダー
10ページ

短期合格に欠かせないスケジュールの作成と実行は「合格カレンダー」におまかせ！

現在、自分がどの位置にいて、合格というゴールまでにあとどれくらい走らなくてはならないのか、きっちりと把握・管理することは短期合格のためには欠かせない重要な学習習慣といえます。特にネット試験を受験される方は、いつ合格したいか受験日をまず決めて、その日に向かってスケジュールを作成してください。本書掲載の合格スケジュールを参考に、直前期の学習を実りあるものにしましょう。

▼ 合格カレンダーの使い方

復習
解けなかった人
本書第1部「解き方テキスト」やお手元のテキストで復習しよう！

ネット試験受験の方は、具体的な日付を（ / ）に記入して実行しよう！

P10の合格スケジュールを参考に、自分でもスケジュールを作ってみよう！

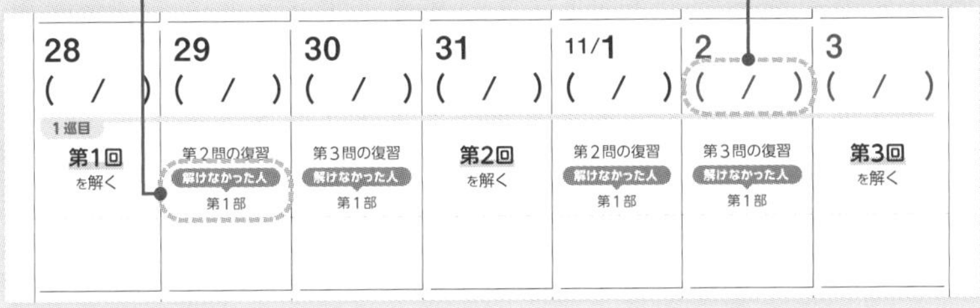

▶「合格カレンダー」はダウンロードもできます（⇒ P9）。

本書の
必勝活用術
STEP
2

本試験に必要な重要論点を確認！

まずは、第1部に収載している「解き方テキスト」で論点の確認をしよう！

3級の出題方式は、第1問から第3問までの3問構成で、100点満点中70点以上で合格となります。第1部に収載している「解き方テキスト」編を使用して、「概要→学習方法→試験中の進め方」の流れで出題の傾向や論点を確認しましょう。

▼ 解き方テキストの使い方

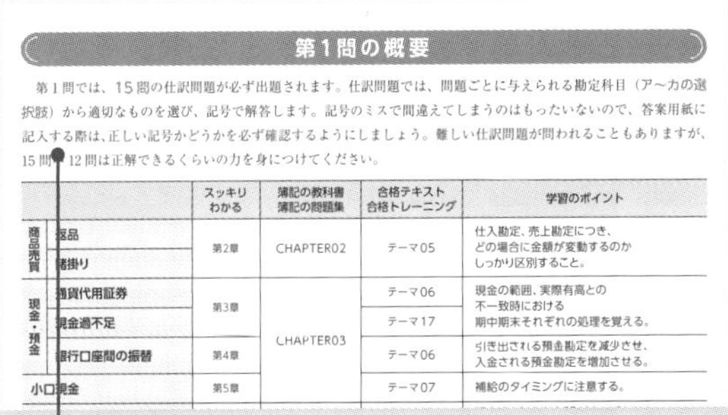
第1問の概要

第1問では、15問の仕訳問題が必ず出題されます。仕訳問題では、問題ごとに与えられる勘定科目（ア～カの選択肢）から適切なものを選び、記号で解答します。記号のミスで間違えてしまうのはもったいないので、答案用紙に記入する際は、正しい記号かどうかを必ず確認するようにしましょう。難しい仕訳問題が問われることもありますが、15問中12問は正解できるくらいの力を身につけてください。

		スッキリわかる	簿記の教科書 簿記の問題集	合格テキスト 合格トレーニング	学習のポイント
商品売買	返品	第2章	CHAPTER02	テーマ05	仕入勘定、売上勘定につき、どの場合に金額が変動するのかしっかり区別すること。
	諸掛り				
現金・預金	通貨代用証券	第3章	CHAPTER03	テーマ06	現金の範囲、実際有高との不一致時における期中期末それぞれの処理を覚える。
	現金過不足			テーマ17	
	銀行口座間の振替	第4章		テーマ06	引き出される預金勘定を減少させ、入金される預金勘定を増加させる。
小口現金		第5章		テーマ07	補給のタイミングに注意する。

概要：該当問題の出題論点・ポイントをまとめています。
学習方法：効率的に学習するポイントをまとめています。
試験中の進め方：試験中の戦略をまとめています。

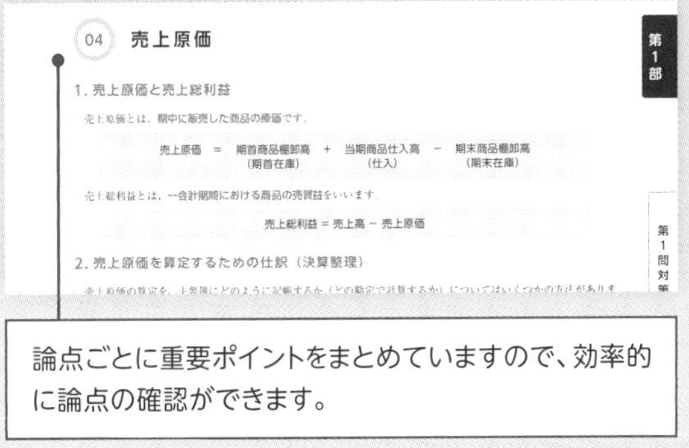
04 売上原価

第1部

1. 売上原価と売上総利益

売上原価とは、期中に販売した商品の原価です。

売上原価 ＝ 期首商品棚卸高（期首在庫） ＋ 当期商品仕入高（仕入） － 期末商品棚卸高（期末在庫）

売上総利益とは、一会計期間における商品の売買益をいいます。

売上総利益 ＝ 売上高 － 売上原価

2. 売上原価を算定するための仕訳（決算整理）

第1問対策

論点ごとに重要ポイントをまとめていますので、効率的に論点の確認ができます。

本書の
必勝活用術

STEP 3

時間を計って自力で問題を解く!

本試験そっくり!
予想問題
4回分収載

何回でもOK!
解答用紙
ダウンロード
サービス付き

解いて解いて覚えちゃうまで解きまくろう!

まずは時間を計って、問題を解いてみましょう。3級の制限時間は60分です。本番だと思って解いてみましょう。

また、問題は一度解いたら終わりではありません。ほとんどの合格者が実践しているのが、繰り返し学習法です。これは、問題集を2回3回と繰り返し解くことで、知識を定着させ、解く手順を身につけていく学習法です。本書には、解答用紙ダウンロードサービスがついていますので、何度もダウンロードして、繰り返し、問題を解くようにしてください。

受験番号
氏名
生年月日　.　.

（無断転載を禁ず）

3級　日商簿記検定試験対策

2024年度試験をあてるTAC予想模試
(2024年9～12月試験対応)

問題・答案用紙

（制限時間　60分）

第１回

TAC簿記検定講座

受験者への注意事項

1．答えは、指示に従い定められたところに、誤字・脱字のないよう、ていねいに書いてください。
2．答案の記入にあたっては、黒鉛筆または黒シャープペンシルを使用してください。
3．問題および答案用紙の余白は計算用紙として使用できますが、解答欄にかからないように注意してください。
4．仕訳問題を解答する際の注意事項
　仕訳問題の解答にあたっては、勘定科目の使用は、借方・貸方の中でそれぞれ１回ずつとしてください（各設問で、同じ勘定科目を借方・貸方の中で２回以上使用すると、不正解となります）。

（例）（仕　入）　10,000（現　金）　2,000
　　　　　　　　　　　　（買掛金）　8,000

ア．現金　イ．買掛金　ウ．仕入

問題用紙
答案用紙

「問題・答案用紙」の取り外し動画

別冊の「問題・答案用紙」の取り外し方についての、解説動画もついています。

9ページ

読者特典❷

ネット試験用模擬試験プログラム

ネット試験用のプログラム5回分付き

日商簿記３級　試験問題

第１問

下記の各取引について仕訳しなさい。ただし、勘定科目は、プルダウンの中から最も適当と思われるものを選び、選択すること。なお、消費税については指示がある問題のみ考慮し、各取引は独立しているものとする。

1　×1年４月１日に利率年0.4%、利息は満期日（×2年３月31日）に受け取る条件でA銀行に預け入れた１年ものの定期預金￥600,000について、本日、満期となったため、元金と利息の合計をA銀行の普通預金口座に預け替えた。

借方科目	金額	貸方科目	金額

2　大分株式会社は、第５期の株主総会において、繰越利益剰余金￥30,000,000の一部を次のように処分することを決定した。　利益準備金の積み立て：￥270,000　株主配当金：￥2,700,000

借方科目	金額	貸方科目	金額

決算日において、期中に発生した現金過不足（現金過不足勘定は借方残高￥13,500）の原因をあらためて調査した結

ネット試験を受験される方は、本書付属の模擬試験プログラムを活用して、本番さながらの演習をしてみてください。

（サービス内容）
本サービスの問題は、本書とは異なる５回分を収載しております。
また、本サービスの提供期間は、本書の改訂版刊行月の末日までです。

（免責事項／模擬試験プログラム・仕訳 Web アプリ共通）

(1)　本アプリの利用にあたり、当社の故意または重大な過失によるもの以外で生じた損害、及び第三者から利用者に対してなされた損害賠償請求に基づく損害については一切の責任を負いません。
(2)　利用者が使用する対応端末は、利用者の費用と責任において準備するものとし、当社は、通信環境の不備等による本アプリの使用障害については、一切サポートを行いません。
(3)　当社は、本アプリの正確性、健全性、適用性、有用性、動作保証、対応端末への適合性、その他一切の事項について保証しません。
(4)　各種本試験の申込、試験申込期間などは、必ず利用者自身で確認するものとし、いかなる損害が発生した場合であっても当社では一切の責任を負いません。

（推奨デバイス）PC・タブレット
（推奨ブラウザ）Microsoft Edge 最新版／Google Chrome 最新版／Safari 最新版

詳細は、下記 URL にてご確認ください。
https://program.tac-school.co.jp/login/3

本書の
必勝活用術
STEP
4

答えあわせをして、今の実力をチェック！

解き終わったらすぐ答えあわせ！ 復習すべき論点を把握しよう！

答えあわせは、単に数字合わせの作業にするのではなく、なぜ間違えたのかを検証し、Ⓐ・Ⓑランク論点をどのくらい取れていたかをチェックし、復習すべき論点を把握しましょう。

解答への道

現役講師によるわかりやすく丁寧な解説をつけているので、正解できなかった問題も、きちんと克服できます。解答のポイントとなる「ここ重要！」など、充実した内容となっています！

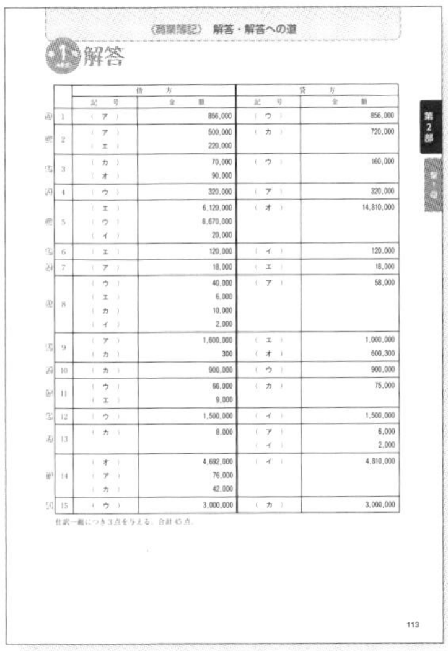

合格《うか》るタイムライン

本試験は時間との闘いでもあります。捨てるべき問題は捨て、取るべき問題は確実に得点しなくてはなりません。合格点を取るにはどのような時間配分で、どのような順序で解いていくのか、合格《うか》るタイムラインで確認しましょう。

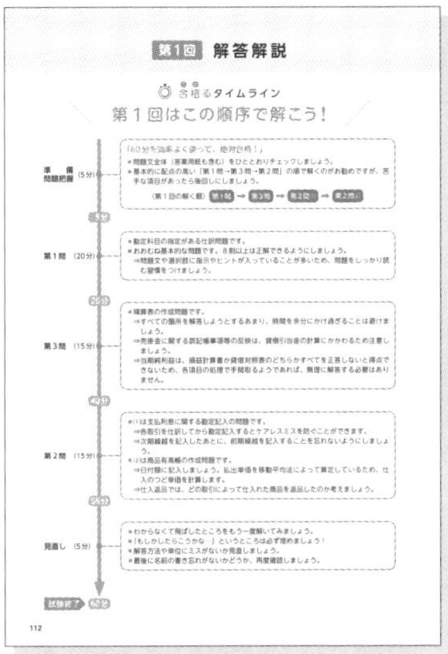

繰り返しシートを使用し、弱点集中特訓に役立てよう！

「繰り返しシート」に点数・時間を記録し、徐々に点数が上がり、最後には合格点を取れるようになったか、時間内に解き終えるようになったか、確認してください。

▼ 繰り返しシートの使い方

読者特典❸
繰り返しシート
11ページ

日付と解答時間を書き込みます。制限時間と比べてみましょう。

点数もきっちりチェックします。本試験の合格点は70点です。

第1回		点数 第1問	第2問	第3問	合計	メモ
1回目	日付 10／28	21	10	16	47	
	解答時間 （ 95 ）分	Ⓐ 43 ／70点		Ⓑ 4 ／30点		
2回目	日付 11／9	36	16	30	82	
	解答時間 （ 60 ）分	Ⓐ 57 ／70点		Ⓑ 25 ／30点		

解答に付いているⒶⒷのマークは、Ⓐランク全問正解=合格点(70点)が取れるように設定しています。Ⓐランクを全部マスターできるまで、がんばりましょう。

問題を繰り返し解き、点数が徐々に上がっていっているか、確認しましょう。

ここには復習すべき論点等を記載しましょう。

▶「繰り返しシート」はダウンロードもできます 9ページ

本書の必勝活用術

STEP 5

復習すべき論点がわかったら、弱点を集中特訓！

第1部「解き方テキスト」で論点のポイントを把握する

復習すべき論点がわかったら、第1部「解き方テキスト」の各問対策に示している概要（2・50・91ページ）を使って、論点のポイントを把握するとともに、お手元の問題集や予想問題集などで、該当論点の復習をしましょう。

TACの問題集にはすべて解答用紙ダウンロードサービスがついていますので、繰り返し演習して、解答の精度とスピードを高めていきましょう。

第1問の概要

第1問では、15問の仕訳問題が必ず出題されます。仕訳問題では、問題ごとに与えられる勘定科目（ア～カの選択肢）から適切なものを選び、記号で解答します。記号のミスで間違えてしまうのはもったいないので、答案用紙に記入する際は、正しい記号かどうかを必ず確認するようにしましょう。難しい仕訳問題が問われることもありますが、15問中12問は正解できるくらいの力を身につけてください。

		スッキリわかる	簿記の教科書 簿記の問題集	合格テキスト 合格トレーニング	学習のポイント
商品売買	返品	第2章	CHAPTER02	テーマ05	仕入勘定、売上勘定につき、どの場合に金額が変動するのかしっかり区別すること。
	諸掛り				
現金・預金	通貨代用証券	第3章	CHAPTER03	テーマ06	現金の範囲、実際有高との不一致時における期中期末それぞれの処理を覚える。
	現金過不足			テーマ17	
	銀行口座間の振替	第4章		テーマ06	引き出される預金勘定を減少させ、入金される預金勘定を増加させる。
小口現金		第5章		テーマ07	補給のタイミングに注意する。
手形		第6章	CHAPTER04	テーマ09	振出人、名宛人（受取人）のどちらのポジションなのかをはっきりさせて考える。
	貸付金・借入金	第7章	CHAPTER06	テーマ11	それぞれどのようなシチュエーションで発生する勘定科目なのかを
	未収入金・未払金			テーマ12	
	前払金・前受金			テーマ04	

読者特典④

重要論点の「解き方レクチャー」

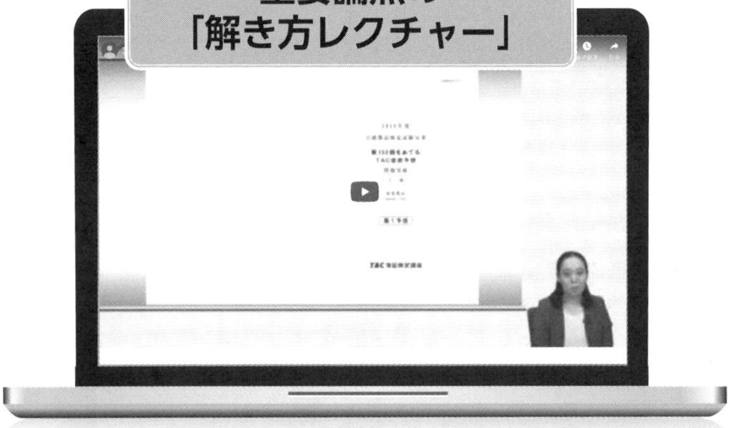

●配信期間：2024年9月中旬～2024年12月末日

重要論点の「解き方レクチャー」を見て、弱点を克服しよう！

「あてる」では、本書掲載の問題全てを解説した動画「解き方レクチャー」を無料配信！

問題を解き、答えあわせが終わったら、「解き方レクチャー」を見て、弱点を克服しましょう。どうやって解けば、学んだ知識を生かせるかがきっとわかるはず。

「解き方レクチャー」では、本試験を解ききるために必要な要素はもちろん、重要論点や応用的な出題の考えられる論点については特に詳しく解説します。本質的な理解を求められる今の試験対策には欠かせない内容満載でお届けしますので、ぜひこの動画を最大限活用してみなさんの弱点を払拭し、不安なく本試験に立ち向かっていってください！

あわせてチェック！

動画 ネット試験の解き方を見てみよう

ネット試験の画面と下書用紙を使いながら、ネット試験の問題の効率的な解法をTAC講師が実践講義します。下書用紙をどのように使いながら解答をしていくのか、また、解答の記入・選択において注意する点はどこなのかなど、この動画を通じてネット試験特有の注意点を把握してください。

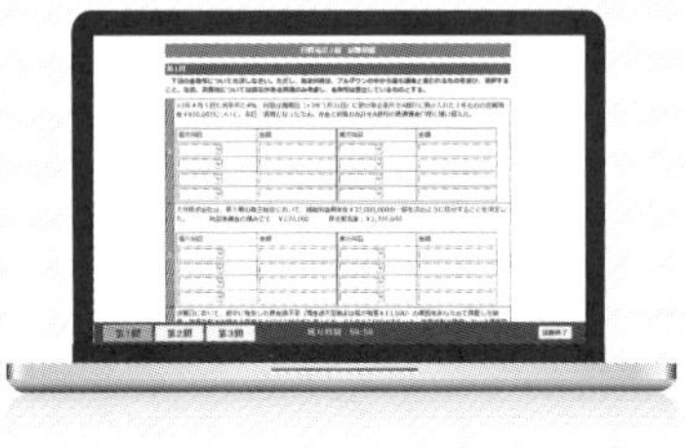

▼ 重要論点の「解き方レクチャー」の使い方

●効率良く学習できるよう、次のように動画を活用してみてください。

1. 「解き方レクチャー」を見る前に自力で問題を解く！
2. 解き方がわからず、手も足もでなかった問題に関する「解き方レクチャー」を視聴する！
3. 「解き方レクチャー」の解説を意識して、もう一度問題を解く！

仕訳問題は、覚えていないとはじまらない！
仕訳Webアプリ「受かる！仕訳猛特訓」で
予想仕訳を極める！

読者特典⑤

仕訳Webアプリ
「受かる！仕訳猛特訓」

簿記は仕訳に始まり、仕訳に終わるといわれます。何はともあれ、仕訳を暗記していないと、簿記検定試験においては、何の勝負にもならないのです。このような暗記が必須の仕訳については、本書の付録「仕訳 Web アプリ 受かる！仕訳猛特訓」を活用して、通勤・通学時間や、お昼休みなどのスキマ時間にササッと覚えてしまいましょう。

（サービス内容）
本サービスの提供期間は、本書の改訂版刊行月の末日までです。
（免責事項）
免責事項につきましては、前付け6ページをご参照ください。
ただし、推奨デバイスは、PC・タブレット・スマートフォンになります。

9ページ下部に記載のパスワードの入力でご利用いただけます。

出る予想仕訳を、論点ごとに練習できる「ジャンルで仕訳」と総当たりで練習できる「とことん仕訳」の2つの演習メニューでご利用いただけます。

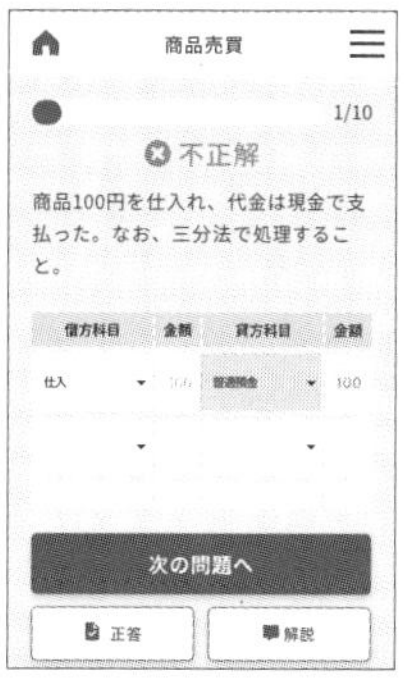

間違えた箇所には色がつきます！すべて正解できるまで、繰り返し練習しましょう。

➡ STEP 3 へ戻る　3回は繰り返そう！

CONTENTS

以上の 読者特典 のダウンロードは、下記にアクセス後、パスワードを入力してご利用ください

読者特典

読者様限定 書籍連動ダウンロードサービス

合格カレンダー・**繰り返しシート**・**仕訳Webアプリ「受かる！仕訳猛特訓」**・**解き方レクチャー**・**「問題・答案用紙」の取り外し動画**・**ネット試験用 模擬試験プログラム** へのアクセス方法

TAC出版 検索 ＞ 書籍連動ダウンロードサービス にアクセス ＞ パスワード **241210845** を入力

※本サービスの提供期間は、2024年12月末日までです。

＼タイムマネジメントが合格のカギ／

合格カレンダーで進捗管理！

短期合格に欠かせないスケジュール作成と実行。下記を参考に作成して実行しよう！

●合格カレンダーの使い方は、5ページを参照してください。　●合格カレンダーはダウンロードもできます。

3週間で合格へ!! 短期合格プロジェクト

月 Monday	火 Tuesday	水 Wednesday	木 Thursday	金 Friday	土 Saturday	日 Sunday
10/21 (　/　)	22 (　/　)	23 (　/　)	24 (　/　)	25 (　/　)	26 (　/　)	27 (　/　)
28 (　/　) 1巡目 **第1回** を解く	29 (　/　) 第2問の復習 解けなかった人 第1部	30 (　/　) 第3問の復習 解けなかった人 第1部	31 (　/　) **第2回** を解く	11/1 (　/　) 第2問の復習 解けなかった人 第1部	2 (　/　) 第3問の復習 解けなかった人 第1部	3 (　/　) **第3回** を解く
4 (　/　) 第2問の復習 解けなかった人 第1部	5 (　/　) 第3問の復習 解けなかった人 第1部	6 (　/　) **第4回** を解く	7 (　/　) 第2問の復習 解けなかった人 第1部	8 (　/　) 第3問の復習 解けなかった人 第1部	9 (　/　) 2巡目 **第1回** を解き直す	10 (　/　) **第2回** を解き直す
11 (　/　) **第3回** を解き直す	12 (　/　) **第4回** を解き直す	13 (　/　) 仕訳&間違えたところの復習	14 (　/　) 3巡目 **第1回・第2回** の解き直し&復習	15 (　/　) **第3回・第4回** の解き直し&復習	16 (　/　) 仕訳&間違えたところの復習	17 がんばれ (　/　) 本試験 日頃の成果を出し切ろう！

＼合《う》格《か》る人はみんな使ってる／

繰り返しシートで合格をゲット！

繰り返し学習法が合格への近道！ ぜひ本書を納得するまで解き直し、合格を確実なものにしてください。

●繰り返しシートの使い方は、7ページを参照してください。 ●繰り返しシートはダウンロードもできます。

第1回		点数				メモ
		第1問	第2問	第3問	合計	
1回目	日付　／					
	解答時間（　　）分	A	／70点 B	／30点		
2回目	日付　／					
	解答時間（　　）分	A	／70点 B	／30点		
3回目	日付　／					
	解答時間（　　）分	A	／70点 B	／30点		

第2回		点数				メモ
		第1問	第2問	第3問	合計	
1回目	日付　／					
	解答時間（　　）分	A	／72点 B	／28点		
2回目	日付　／					
	解答時間（　　）分	A	／72点 B	／28点		
3回目	日付　／					
	解答時間（　　）分	A	／72点 B	／28点		

第3回		点数				メモ
		第1問	第2問	第3問	合計	
1回目	日付　／					
	解答時間（　　）分	A	／70点 B	／30点		
2回目	日付　／					
	解答時間（　　）分	A	／70点 B	／30点		
3回目	日付　／					
	解答時間（　　）分	A	／70点 B	／30点		

第4回		点数				メモ
		第1問	第2問	第3問	合計	
1回目	日付　／					
	解答時間（　　）分	A	／72点 B	／28点		
2回目	日付　／					
	解答時間（　　）分	A	／72点 B	／28点		
3回目	日付　／					
	解答時間（　　）分	A	／72点 B	／28点		

第1部

解き方テキスト 編

本試験は
第１問から第３問で構成されています。
それぞれの問いごとに論点を確認しましょう。

《 第1部 解き方テキスト 編 》

第1問対策

第1問の概要

第1問では、**15問**の仕訳問題が必ず出題されます。仕訳問題では、問題ごとに与えられる勘定科目（**ア～カの選択肢**）から適切なものを選び、記号で解答します。記号のミスで間違えてしまうのはもったいないので、答案用紙に記入する際は、正しい記号かどうかを必ず確認するようにしましょう。難しい仕訳問題が問われることもありますが、15問中12問は正解できるくらいの力を身につけてください。

		スッキリわかる	簿記の教科書 簿記の問題集	合格テキスト 合格トレーニング	学習のポイント
商品売買	返品	第2章	CHAPTER02	テーマ05	仕入勘定、売上勘定につき、どの場合に金額が変動するのかしっかり区別すること。
	諸掛り				
現金・預金	通貨代用証券	第3章	CHAPTER03	テーマ06	現金の範囲、実際有高との不一致時における期中期末それぞれの処理を覚える。
	現金過不足			テーマ17	
	銀行口座間の振替	第4章		テーマ06	引き出される預金勘定を減少させ、入金される預金勘定を増加させる。
小口現金		第5章		テーマ07	補給のタイミングに注意する。
手形		第6章	CHAPTER04	テーマ09	振出人、名宛人（受取人）のどちらのポジションなのかをはっきりさせて考える。
その他の期中取引・決算	貸付金・借入金	第7章	CHAPTER06	テーマ11	それぞれどのようなシチュエーションで発生する勘定科目なのかをしっかり把握する。
	未収入金・未払金	第8章		テーマ12	
	前払金・前受金			テーマ04	
	仮払金・仮受金			テーマ13	
	立替金・預り金				
	受取商品券			テーマ04	
	貸倒れ	第10章	CHAPTER11	テーマ19	いつ発生した売掛金なのか注意しよう。貸倒処理・回収がいつなのか確認しよう。
	償却債権取立益				
	有形固定資産の購入	第11章	CHAPTER 05,11	テーマ12	月割計算を正確に！ 問題文のチェックは必須。資産の原価に含めるものと含めないものしっかり区別しよう。
	有形固定資産の売却				
	租税公課	第9章	CHAPTER06	テーマ21	どのような税金を租税公課として処理するのか注意して取り組もう。
	株式の発行	第12章		テーマ28	3級では、払込金額の全額を資本金とする。
	剰余金の配当		CHAPTER12	テーマ29	繰越利益剰余金を財源に配当する。
	法人税等	第13章	CHAPTER11	テーマ30	仮払・未払・仮受をきちんと区別する。
	消費税		CHAPTER06		
	決算仕訳・再振替仕訳	第18,19章	CHAPTER 11,12	テーマ 17～23	仕訳の意味を思い出して解く。
	訂正仕訳	第14章	CHAPTER06	テーマ16	誤った仕訳と正しい仕訳の比較がポイント。
	その他の内容				

学習方法

日商簿記３級で出題される仕訳は、**文章による仕訳問題**と、**証ひょうの読み取りによる仕訳問題**があります。大半は文章による仕訳問題であり、証ひょうの読み取りによる仕訳問題は各回で１問程度の出題となります。

まずは、文章による仕訳問題を解けるように学習しましょう。仕訳に用いる**勘定科目**と**借方・貸方**を意識しながら繰り返し問題を解いてください。

証ひょうの読み取りによる仕訳問題は、証ひょうが**どのような取引を示しているのか**判断する必要があります。証ひょうの**どの部分に注目すればよいのか**問題を解く中で学習してください。

試験中の進め方

仕訳問題では、与えられた勘定科目をヒントに仕訳を考えましょう。答えがわからなくても、答案用紙には何かしらの記号を記入しておきましょう。

01 簿記とは

会社やお店（個人企業）は、毎日モノを買う、売る、お金を貸す、借りるといった活動を行っています。こうした会社の活動を取引といいます。

この毎日の取引を記録する手段が**簿記**です。

02 簿記の5要素とは

取引を記録するため、簿記では簡単な用語（勘定科目）と金額を使って記録します。

また、勘定科目は５つに分類することができ、これを**簿記の５要素（資産・負債・資本（純資産）・収益・費用）**といいます。

簿記の５要素の勘定科目が増えたら左右どちらか（５要素ごとに決められた側）に記入し、減ったらその反対側に記入します。勘定科目の**左側を借方**といい、**右側を貸方**といいます。

03 仕訳とは

	意味	主な勘定科目	増えたら記入	減ったら記入
資　　産	一般に財産といわれるもの	現金、当座預金、売掛金、土地	左側（借方）	右側（貸方）
負　　債	後日、お金を払わなければならない義務	借入金、買掛金	右側（貸方）	左側（借方）
資　　本	株主が出資した会社の元手	資本金	右側（貸方）	左側（借方）
収　　益	資産が増える原因	売上、受取利息	右側（貸方）	左側（借方）
費　　用	事業活動に必要な支出	仕入、水道光熱費、通信費	左側（借方）	右側（貸方）

取引は**仕訳**によって記録します。

仕訳とは、取引を借方と貸方に分けて記録したものであり、日付順に仕訳帳という帳簿に記録します。

仕訳には、日付、勘定科目、金額が記録されますが、日商簿記３級の第１問では日付は問われないため、勘定科目と金額を回答します。

❶…勘定科目名　❷…金額

なお、仕訳では、**借方と貸方の金額が必ず一致**します。これを**貸借平均の原理**といいます。

❶（現　　金）　❷ 200　❶（売　　上）　❷ 200

それでは、実際に重要仕訳で取引を確認していきましょう。

001

商品売買（仕入諸掛り）

商品¥700を仕入れ①、代金を掛けとした②。なお、商品の引取費用¥100③を現金により④支払った。

Hint! 仕入諸掛りは、仕入勘定に含めて処理をします。

（仕　　入）	800*	（買　掛　金）	700
		（現　　金）	100

＊ 700円＋100円＝800円

解答のPoint!

① 商品の仕入れ→仕入（費用）の発生
② 掛けとした→買掛金（負債）の増加
③ 引取費用の支払い→仕入諸掛り→仕入（費用）の発生
④ 現金による支払い→現金（資産）の減少

002

商品売買（手付金の支払い）

商品¥600を注文し、その手付金として①普通預金口座から②¥50を支払った。

Hint! 注文時に手付金を支払った場合、前払金（資産）で処理します。

（前　払　金）	50	（普通預金）	50

解答のPoint!

① 手付金の支払い→前払金（資産）の増加
② 普通預金口座から支払い→普通預金（資産）の減少

003

商品売買（手付金・商品の受け取り）

仕入先から商品¥250を仕入れた①。注文時に手付金¥50を支払っており②、残額は小切手を振り出して③支払った。

Hint! 手付金を支払ったとき（注文時）に、前払金（資産）の増加として処理しています。

（仕　　入）	250	（前　払　金）	50
		（当座預金）	200*

＊ 250円－50円＝200円

解答のPoint!

① 商品の仕入れ→仕入（費用）の発生
② 手付金と相殺→前払金（資産）の減少
③ 小切手を振り出した→当座預金（資産）の減少

004

商品売買
(仕入諸掛り・手付金)

東京株式会社から商品¥750を仕入れ①、代金②のうち¥150は注文時に手付金として支払っており、残額は掛けとする③が、当社負担の引取運賃④¥20は現金で支払った⑤。

(仕　　入)	770*2	(買　掛　金)	600*1
		(前　払　金)	150
		(現　　金)	20

*1　750円－150円＝600円

*2　750円＋20円＝770円

解答のPoint!

① 商品の仕入れ→仕入(費用)の発生
② 手付金と相殺→前払金(資産)の減少
③ 掛けとする→買掛金(負債)の増加
④ 引取運賃の支払い→仕入諸掛り→仕入(費用)の発生
⑤ 現金で支払った→現金(資産)の減少

005

商品売買
(買掛金の支払い・手数料)

沖縄株式会社に対する買掛金①¥400について、普通預金口座から支払った②。また、当社③負担の振込手数料¥10が同口座②から引き落とされた。

Hint! 振込手数料は支払手数料(費用)で処理します。

(買　掛　金)	400	(普 通 預 金)	410*
(支 払 手 数 料)	10		

＊　400円＋10円＝410円

解答のPoint!

① 買掛金の支払い→買掛金(負債)の減少
② 普通預金口座から支払った→普通預金(資産)の減少
③ 振込手数料が引き落とされた→支払手数料(費用)の発生

006

商品売買
(返品)

兵庫株式会社から掛けで仕入れた商品¥500のうち、¥100分を品違いのため返品した①。なお、返品額は掛け代金から控除②すること。

Hint! 仕入返品は、通常の仕入取引の逆仕訳を行います。

(買　掛　金)	100	(仕　　入)	100

解答のPoint!

① 仕入れた商品の返品→仕入(費用)の消滅
② 掛け代金から控除→買掛金(負債)の減少

007

商品売買（手付金の受け取り）

得意先から商品¥500の注文を受け、現金①¥100を手付金として受け取った②。

（現　　　金）	100	（前　受　金）	100

解答のPoint!

① 現金の受け取り→現金（資産）の増加
② 手付金の受け取り→前受金（負債）の増加

008

商品売買（手付金・商品の引き渡し）

得意先に商品¥250を売り上げ①、¥50は注文時の手付金と相殺し②、残額は掛けとした③。

（前　受　金）	50	（売　　　上）	250
（売　掛　金）	200*		

* 250円－50円＝200円

解答のPoint!

① 商品の売り上げ→売上（収益）の発生
② 手付金と相殺→前受金（負債）の減少
③ 掛けとした→売掛金（資産）の増加

009

商品売買（売上諸掛り・手付金）

得意先長野株式会社に商品¥450（送料込み）で販売し①、代金のうち¥200は注文時に手付金として受け取っており②、残額は掛けとした③。なお、商品を運送業者へ引き渡すと同時に送料¥10（費用処理する）④は現金で支払った⑤。

（前　受　金）	200	（売　　　上）	450
（売　掛　金）	250*		
（発　送　費）	10	（現　　　金）	10

* 450円－200円＝250円

解答のPoint!

① 商品の売り上げ→売上（収益）の発生
② 手付金と相殺→前受金（負債）の減少
③ 掛けとする→売掛金（資産）の増加
④ 送料の支払い→発送費（費用）の発生
⑤ 現金で支払った→現金（資産）の減少

010

商品売買（売掛金の回収）

長野株式会社から売掛金の回収①として、同社振出しの約束手形¥600②と、同社振出しの小切手¥300③を受け取った。

Hint! 他社が振り出した小切手は現金（資産）勘定として処理します。

（受 取 手 形）	600	（売　　掛　　金）	900*
（現　　　　金）	300		

＊ 600円＋300円＝900円

解答のPoint!

① 売掛金の回収→売掛金（資産）の減少
② 約束手形の受け取り→受取手形（資産）の増加
③ 他社振出しの小切手の受け取り→現金（資産）の増加

⚠ ここも注意！

他人振出小切手を受け取ったときは現金（資産）で処理しますが、自己振出小切手を受け取ったときは当座預金（資産）で処理します。

011

商品売買（売掛金の回収・手数料）

得意先から掛け代金¥400を回収①して、振込手数料¥10（当社負担）②を差し引かれた残額が普通預金口座に振り込まれた③。

Hint! 振込手数料は支払手数料（費用）勘定で処理します。

（普 通 預 金）	390*	（売　　掛　　金）	400
（支 払 手 数 料）	10		

＊ 400円－10円＝390円

解答のPoint!

① 掛け代金の回収→売掛金（資産）の減少
② 振込手数料の支払い→支払手数料（費用）の発生
③ 普通預金口座に振り込まれた→普通預金（資産）の増加

012

商品売買（クレジット売掛金①）

商品¥400をクレジットカードで売り上げ①、売上代金の２％を信販会社へのクレジット手数料②として計上した。

Hint! クレジットカードによる販売時は、クレジット売掛金（資産）で処理し、クレジット手数料分は、掛け代金から減額します。

（クレジット売掛金）	392	（売　　　　上）	400
（支 払 手 数 料）	8*		

＊ 400円×2%＝８円

解答のPoint!

① 商品のクレジット払いによる販売
→クレジット売掛金（資産）の増加
→売上（収益）の発生
② クレジット手数料の計上
→支払手数料（費用）の発生
→クレジット売掛金（資産）の減少

013

商品売買（クレジット売掛金②）

クレジット売掛金¥500 について、本日決済され①、普通預金口座へ振り込まれた②。

（普通預金）	500	（クレジット売掛金）	500

解答のPoint!

① クレジット売掛金の決済→クレジット売掛金（資産）の減少

② 普通預金口座への振り込み→普通預金（資産）の増加

014

商品売買（売掛金と買掛金の相殺）

徳島株式会社に対する買掛金¥200 と売掛金¥150 の決済日であったため、徳島株式会社の承諾を得て両者を相殺し①、超過した買掛金¥50 については現金で支払った②。

（買掛金）	200	（売掛金）	150
		（現金）	50*

＊ 200 円－ 150 円＝ 50 円

解答のPoint!

① 買掛金と売掛金を相殺→買掛金（負債）、売掛金（資産）の減少

② 超過分は現金で支払った→現金（資産）の減少

Hint! 買掛金と売掛金の相殺→両者を減少させます。

015

商品売買（商品券の受け取り①）

商品¥200 を販売し①、代金として当社の加盟する小売商連合会発行の共通商品券¥150 を受け取り②、残額は掛けとした③。

（受取商品券）	150	（売上）	200
（売掛金）	50*		

＊ 200 円－ 150 円＝ 50 円

解答のPoint!

① 商品の売り上げ→売上（収益）の発生

② 共通商品券の受け取り→受取商品券（資産）の増加

③ 掛けとした→売掛金（資産）の増加

Hint! 共通商品券を受け取った場合、受取商品券（資産）として処理します。

016

商品売買
(商品券の受け取り②)

商品¥295を売り上げ、代金として信販会社発行の共通商品券¥300を受け取り、おつりは現金で支払った。

(受 取 商 品 券)	300	(売　　　上)	295
		(現　　　金)	5*

* 300円－295円＝5円

解答のPoint!

① 商品の売り上げ→売上(収益)の発生
② 共通商品券の受け取り→受取商品券(資産)の増加
③ おつりを現金で支払い→現金(資産)の減少

017

商品売買
(商品券の決済)

神奈川株式会社は所有する自治体発行の商品券¥500を金融機関で換金し、同額が普通預金口座に振り込まれた。

(普 通 預 金)	500	(受 取 商 品 券)	500

解答のPoint!

① 自治体発行商品券の換金→受取商品券(資産)の減少
② 普通預金口座への振り込み→普通預金(資産)の増加

⚠ ここも注意!
商品券を換金することを「商品券の精算」といいます。

018

現金・預金
(通貨代用証券)

得意先山形株式会社に対する売掛金のうち¥200は普通為替証書(郵便為替証書)で、¥100は同社振出しの小切手で受け取った。

(現　　　金)	300*	(売　掛　金)	300

* 200円＋100円＝300円

解答のPoint!

① 売掛金の回収→売掛金(資産)の減少
② 普通為替証書(郵便為替証書)の受け取り→現金(資産)の増加
③ 他人振出しの小切手の受け取り→現金(資産)の増加

Hint! 通貨代用証券は、現金(資産)として処理します。

⚠ ここも注意!
通貨代用証券には、普通為替証書(郵便為替証書)、他人振出しの小切手のほか、送金小切手などがあります。

019

現金・預金
(通貨代用証券・返品)

得意先秋田株式会社に対する売掛金¥400①のうち、¥100は普通為替証書（郵便為替証書）で、¥250は同社振出しの小切手で受け取った②。なお、残額¥50については、以前に売り上げた商品について返品を受けていた③が未処理であった。

Hint! 売上返品を受けた場合、売上時の逆仕訳を行います。

(現　　　　金)	350*	(売　掛　金)	400
(売　　　　上)	50		

＊　100円＋250円＝350円

解答のPoint!

① 売掛金の回収→売掛金（資産）の減少

② 普通為替証書（郵便為替証書）・他人振出しの小切手の受け取り→現金（資産）の増加

③ 売上返品→売上（収益）の消滅、売掛金（資産）の減少

020

現金・預金
(普通預金への入金)

現金¥200を普通預金口座へ預け入れた①。

(普 通 預 金)	200	(現　　　　金)	200

解答のPoint!

① 現金を普通預金口座に預け入れ
→現金（資産）の減少
→普通預金（資産）の増加

⚠ ここも注意！

定期預金口座へ預け入れた場合は定期預金（資産）で処理し、当座預金口座へ預け入れた場合は当座預金（資産）で処理します。

021

現金・預金
(普通預金からの出金)

普通預金口座から現金¥80を引き出した①。

(現　　　　金)	80	(普 通 預 金)	80

解答のPoint!

① 普通預金口座から現金を引き出した
→普通預金（資産）の減少
→現金（資産）の増加

022

現金・預金（費用の支払い）

当社が所属する同業者団体の年会費¥1,200①が普通預金口座より引き落とされた②。

（諸　会　費）	1,200	（普　通　預　金）	1,200

解答のPoint!

① 同業者団体の年会費→諸会費（費用）の発生

② 普通預金口座から引き落とされた→普通預金（資産）の減少

023

現金・預金（普通預金の振り替え・手数料）

新たに当座預金口座を開設するために、¥900を普通預金口座から当座預金口座に振り替えて入金した①。なお、当座預金口座の開設にあたり小切手帳の交付を受け、手数料¥10を現金で支払った②。

Hint! 当座預金口座の開設にあたっての手数料は、支払手数料（費用）で処理します。

（当　座　預　金）	900	（普　通　預　金）	900
（支 払 手 数 料）	10	（現　　　　金）	10

解答のPoint!

① 普通預金口座から当座預金口座へ振り替え
→普通預金（資産）の減少
→当座預金（資産）の増加

② 手数料を現金で支払った
→支払手数料（費用）の発生
→現金（資産）の減少

024

現金・預金（当座預金の振り替え）

¥500を当座預金口座から普通預金口座へ振り替えた①。

（普　通　預　金）	500	（当　座　預　金）	500

解答のPoint!

① 当座預金口座から普通預金口座へ振り替えた
→当座預金（資産）の減少
→普通預金（資産）の増加

025

現金・預金
(定期預金の預け替え)

×6年4月1日に利率1%、利息は満期日(×7年3月31日)に受け取る条件で預け入れた1年ものの定期預金¥1,000について、本日、満期となった①ため、元金と利息の合計を普通預金口座に預け替えた②。

Hint! 利息を受け取ったときは受取利息(収益)で処理します。

(普　通　預　金)	1,010	(定　期　預　金)	1,000
		(受　取　利　息)	10*

* 1,000円×1%=10円

解答のPoint!

① 定期預金が満期となる→定期預金(資産)の減少

② 利息とともに普通預金口座へ預け替えた
→受取利息(収益)の発生
→普通預金(資産)の増加

026

現金・預金
(複数の銀行口座①)

藤沢銀行と平塚銀行に当座預金口座を開設し、それぞれ現金¥100を預け入れた①。なお、管理のために口座ごとに勘定を設定する。

Hint! 「管理のために口座ごとに勘定を設定する」→銀行名を入れた勘定科目で仕訳します。

(当座預金藤沢銀行)	100	(現　　　金)	200*
(当座預金平塚銀行)	100		

* 100円+100円=200円

解答のPoint!

① 現金を当座預金に預け入れた
→現金(資産)の減少
→当座預金藤沢銀行(資産)、当座預金平塚銀行(資産)の増加

⚠ ここも注意!

複数の銀行口座を所有する場合、当座預金や普通預金、定期預金勘定に銀行名をつけた勘定を設定することがあります。問題文の指示に注意しましょう。

027

現金・預金
(複数の銀行口座②)

箱根銀行の普通預金口座から草津銀行の普通預金口座に¥300を振り替えた①。なお、振込手数料¥10が箱根銀行の普通預金口座から引き落とされた②。なお、管理のために口座ごとに勘定を設定する。

(普通預金草津銀行)	300	(普通預金箱根銀行)	310*
(支　払　手　数　料)	10		

* 300円+10円=310円

解答のPoint!

① 別の普通預金口座に振り替えた
→普通預金箱根銀行(資産)の減少
→普通預金草津銀行(資産)の増加

② 振込手数料が口座から引き落とされた
→支払手数料(費用)の発生
→普通預金箱根銀行(資産)の減少

028

小口現金（前渡し）

定額資金前渡制（インプレスト・システム）により、①会計係は小口現金¥700を小切手を振り出して小口現金係に前渡しした。

（小　口　現　金）	700	（当　座　預　金）	700

解答のPoint！

① 小口現金を小切手を振り出して前渡し→小口現金（資産）の増加、当座預金（資産）の減少

029

小口現金（報告）

①小口現金係から通信費¥200、消耗品費¥100、雑費¥50の支払いの報告を受けた。なお、当社ではインプレスト・システムを採用し、②小口現金の補給は翌営業日に行うことにしている。

Hint! 小口現金の処理においては、実際に支払った時ではなく、支払の報告があったときに費用の計上を行います。

（通　　信　　費）	200	（小　口　現　金）	350*
（消　耗　品　費）	100		
（雑　　　　　費）	50		

＊ 200円＋100円＋50円＝350円

解答のPoint！

① 支払いの報告を受けた→通信費（費用）・消耗品費（費用）・雑費（費用）の発生

② 小口現金の補給は翌営業日に行う→小口現金（資産）の減少

⚠ ここも注意！

本問では支払いの報告と、小口現金の補給が別々に行われているため、小口現金の増減に関する記録のみを行い、補給の仕訳は行いません。

030

小口現金（報告と補給）

今週の支払明細について①小口現金係から次の報告があったので、②ただちに同額の小切手を小口現金係に渡した。なお、当社は、定額資金前渡制（インプレスト・システム）を採用している。

IC カードチャージ（全額をバス料金使用のために使用している）　¥3,000

ハガキ・切手代　¥800

収入印紙　¥500

（旅 費 交 通 費）	3,000	（当　座　預　金）	4,300*
（通　　信　　費）	800		
（租　税　公　課）	500		

＊ 3,000円＋800円＋500円＝4,300円

解答のPoint！

① 支払いの報告を受けた→旅費交通費（費用）・通信費（費用）・租税公課（費用）の発生

② ただちに同額の小切手を小口現金係に渡した→当座預金（資産）の減少

⚠ ここも注意！

本問では支払いの報告と、小口現金の補給が同時に行われているため、小口現金の増減に関する仕訳は相殺されています。

031

約束手形（振り出し①）

商品￥7,400を島根株式会社から仕入れ、代金は約束手形を振り出して支払った。

Hint! 仕入代金支払いのために約束手形を振り出した場合は支払手形（負債）で処理します。

（仕　　　入）	7,400	（支　払　手　形）	7,400

解答のPoint!

① 商品の仕入れ→仕入（費用）の発生
② 約束手形を振り出した→支払手形（負債）の増加

ここも注意！

約束手形の作成者を振出人（＝支払人）といい、振出人には手形代金を支払う義務が生じます。

032

約束手形（振り出し②）

福岡株式会社に対する買掛金￥500を決済するため、同社宛の約束手形を振り出した。

（買　掛　金）	500	（支　払　手　形）	500

解答のPoint!

① 買掛金の決済→買掛金（負債）の減少
② 約束手形を振り出した→支払手形（負債）の増加

033

約束手形（支払手形の決済）

秋田株式会社へ振り出していた約束手形￥1,600が満期日となり、当座預金口座から決済された。

Hint! 取引先に対して振り出した約束手形は、支払手形（負債）として処理されています。

（支　払　手　形）	1,600	（当　座　預　金）	1,600

解答のPoint!

① 自分の振り出した約束手形が当座預金口座から決済された
　→当座預金（資産）の減少
　→支払手形（負債）の減少

034

約束手形（受け取り）

熊本株式会社へ商品¥500を売り上げ、代金のうち¥200は同社振出し、当社宛の約束手形を受け取り、残額は掛けとした。

Hint! 取引先振出し、当社宛の約束手形は受取手形（資産）として処理します。

（受取手形）	200	（売　　上）	500
（売　掛　金）	300*		

＊ 500円－200円＝300円

解答のPoint!

① 商品を売り上げ→売上（収益）の発生

② 同社振出し、当社宛の約束手形を受け取り→受取手形（資産）の増加

③ 残額は掛け→売掛金（資産）の増加

035

約束手形（受取手形の決済）

大阪商事振出しの約束手形¥300を受け取っていたが、このたび満期日が到来し、同額が普通預金口座に振り込まれた。

Hint! 約束手形が決済され、手形代金を受け取ったときは、計上している受取手形（資産）を減少させます。

（普通預金）	300	（受取手形）	300

解答のPoint!

① 他人の振り出した約束手形が満期→受取手形（資産）の減少

② 普通預金口座に振り込まれた→普通預金（資産）の増加

036

電子記録債権・債務（債権の発生）

福島株式会社は、取引銀行より、得意先富山株式会社に対する売掛金¥800について、電子債権記録機関において債権の発生記録が行われた旨の通知を受けた。

Hint! 「電子債権記録機関において債権の発生記録が行われた」→電子記録債権（資産）として処理します。

（電子記録債権）	800	（売　掛　金）	800

解答のPoint!

① 売掛金について電子債権記録機関において債権の発生記録が行われた
→売掛金（資産）の減少
→電子記録債権（資産）の増加

⚠ ここも注意！

電子記録債権・債務は、ペーパーレスの新しい債権・債務です。

取引銀行を通じて、電子債権記録機関が管理する記録原簿に必要事項を登録することによって発生します。

037

電子記録債権・債務（債権の決済）

電子記録債権¥300の決済日が到来し①、普通預金口座へ振り込まれた②。

借方	金額	貸方	金額
（普　通　預　金）	300	（電子記録債権）	300

解答のPoint!

① 電子記録債権の決済日が到来→電子記録債権（資産）の減少

② 普通預金口座へ振り込まれた→普通預金（資産）の増加

038

電子記録債権・債務（債務の発生）

大分株式会社は、仕入先宮崎株式会社に対する買掛金¥300について、同社より承諾を得て、取引銀行を通じて電子記録債務の発生記録の請求を行った①。

Hint! 電子記録債務の発生記録の請求を行ったときは、電子記録債務（負債）で処理します。

借方	金額	貸方	金額
（買　　掛　　金）	300	（電子記録債務）	300

解答のPoint!

① 買掛金について、電子記録債務の発生記録の請求を行った
→買掛金（負債）の減少
→電子記録債務（負債）の増加

039

電子記録債権・債務（債務の決済）

取引先銀行を通じて発生記録を受けていた電子記録債務¥180について支払期日が到来し①、当座預金口座から同額が引き落とされた②。

Hint! 電子記録債務が決済されたときは、電子記録債務（負債）を減少させます。

借方	金額	貸方	金額
（電子記録債務）	180	（当　座　預　金）	180

解答のPoint!

① 電子記録債務の支払期日が到来した
→電子記録債務（負債）の減少

② 当座預金口座から引き落とされた
→当座預金（資産）の減少

040

利息
（支払い①）

①普通預金口座から利息¥600が引き落とされた。

Hint! 利息の支払いは支払利息（費用）で処理します。

（支払利息）	600	（普通預金）	600

解答のPoint!

① 普通預金口座から支払利息の引き落とし
→支払利息（費用）の発生
→普通預金（資産）の減少

041

利息
（支払い②）

銀行から¥6,000を期間6か月（年利率5％）で借り入れていたが、①返済期日となり②借入期間の利息とともに③小切手を振り出して支払った。

Hint! お金を借り入れた際は、借入金（負債）で処理し、利息は借入金の元本に年利率を掛け、借入期間で月割計算して求めます。

（借入金）	6,000	（当座預金）	6,150
（支払利息）	150*		

＊ $6{,}000\text{円} \times 5\% \times \dfrac{6\text{か月}}{12\text{か月}} = 150\text{円}$

解答のPoint!

① 借入金の返済→借入金（負債）の減少
② 利息の支払い→支払利息（費用）の発生
③ 小切手を振り出して支払う→当座預金（資産）の減少

⚠ ここも注意！
利息の計算は月割計算の場合と日割計算の場合があるため、問題文の指示に従ってください。

042

利息
（受け取り）

滋賀株式会社に対し現金¥1,000を10か月間の約束で借用証書にて貸し付けていたが、本日、①返済期日となり利息（利率は年3％、月割計算による）とともに②当座預金口座に入金された。

Hint! お金を貸し付けた際は、貸付金（資産）で処理し、利息は貸付金の元本に年利率を掛け、貸付期間で月割計算して求めます。

（当座預金）	1,025	（貸付金）	1,000
		（受取利息）	25*

＊ $1{,}000\text{円} \times 3\% \times \dfrac{10\text{か月}}{12\text{か月}} = 25\text{円}$

解答のPoint!

① 利息とともに貸付金が返済された
→貸付金（資産）の減少
→受取利息（収益）の発生
② 当座預金口座に入金された
→当座預金（資産）の増加

043

利息（支払い③）

①取引銀行より¥5,000を借り入れ、②利息を差し引かれた③手取金を普通預金とした。なお、借入期間は146日、利率は年4％である。1年は365日とする。

💡 **Hint!** 借入金から差し引かれる利息は、支払利息（費用）で処理します。

（普　通　預　金）	4,920	（借　　入　　金）	5,000
（支　払　利　息）	80*		

* 5,000円×4%× $\frac{146日}{365日}$ ＝80円

解答のPoint!

① 取引銀行より借り入れた→借入金（負債）の増加
② 利息を支払った→支払利息（費用）の発生
③ 手取金を普通預金とした→普通預金（資産）の増加

044

従業員貸付金の貸付け

①当社の従業員に対して¥1,000を貸し付け、②当社の当座預金口座から従業員の普通預金口座へ振り込んだ。
なお、年利率は1％、貸付期間は3年間であり、元本と利息の返済については、来月以降の給料から毎月差し引くこととした。

💡 **Hint!** 元本と利息の返済については将来生ずる事象なので、現時点で仕訳する必要はありません。

（従業員貸付金）	1,000	（当　座　預　金）	1,000

解答のPoint!

① 従業員に対して貸し付け→従業員貸付金（資産）の増加
② 当社の当座預金口座から振り込んだ→当座預金（資産）の減少

⚠ ここも注意！
取締役など役員に対する貸付金は役員貸付金（資産）で処理します。

045

役員貸付金の決済

①当社の役員に対し現金¥5,000を貸し付けていたが、②本日満期日になり、利息を含めて当社の③普通預金口座に振り込まれた。
なお、貸付の年利率は1％、貸付期間は6か月間である。利息は月割計算すること。

💡 **Hint!** 役員貸付金を返してもらったときは、役員貸付金（資産）の減少として処理します。

（普　通　預　金）	5,025	（役 員 貸 付 金）	5,000
		（受　取　利　息）	25*

* 5,000円×1%× $\frac{6か月}{12か月}$ ＝25円

解答のPoint!

① 役員に対する貸付金の満期→役員貸付金（資産）の減少
② 利息が振り込まれた→受取利息（収益）の発生
③ 普通預金口座に振り込まれた→普通預金（資産）の増加

046

手形貸付金
(約束手形の受け取り①)

取引先に対して普通預金口座から¥160を貸し付け、同額の約束手形を受け取った。

Hint! 貸付けの際、借用証書の代わりに手形を受け取ったときは、手形貸付金（資産）で処理します。

(手形貸付金)	160	(普通預金)	160

解答のPoint!

① 普通預金口座からの貸付け→普通預金（資産）の減少
② 貸付け金額と同額の約束手形を受け取った→手形貸付金（資産）の増加

047

手形貸付金
(約束手形の受け取り②)

高知株式会社に¥500を貸し付け、同額の約束手形を受け取り、利息¥10を差し引いた残額を当社の普通預金口座から高知株式会社の普通預金口座に振り込んだ。

(手形貸付金)	500	(受取利息)	10
		(普通預金)	490*

＊ 500円－10円＝490円

解答のPoint!

① 手形の受け取りによる貸付け→手形貸付金（資産）の増加
② 利息を差し引いた残額を普通預金口座から振り込んだ→受取利息（収益）の発生、普通預金（資産）の減少

048

手形貸付金の決済①

取引先に対する手形貸付金¥500が満期となり、同額が当社の普通預金口座に入金されたので、約束手形を取引先に返却した。

Hint! 手形による貸付時に、手形貸付金（資産）で処理しています。

(普通預金)	500	(手形貸付金)	500

解答のPoint!

① 手形貸付金が満期→手形貸付金（資産）の減少
② 普通預金口座に入金された→普通預金（資産）の増加

049

手形貸付金の決済②

銀行から手形代金¥800と利息¥40②が当座預金口座に入金された③との連絡を受けた。この手形は山梨株式会社に現金¥800を貸し付けた際に受け取っていた同社振出しの約束手形①である。

Hint! 手形による貸付時に手形貸付金（資産）で処理しています。

（当座預金）	840	（手形貸付金）	800
		（受取利息）	40

解答のPoint!

① 貸し付けた際に受け取った約束手形の決済→手形貸付金（資産）の減少
② 利息の受け取り→受取利息（収益）の発生
③ 当座預金口座に入金→当座預金（資産）の増加

050

手形借入金（約束手形の振り出し①）

岩手株式会社から¥700を、約束手形を振り出して借り入れ①、ただちに当座預金へ預け入れた②。

Hint! 借入れの際、借用証書の代わりに手形を振り出したときは、手形借入金（負債）で処理します。

（当座預金）	700	（手形借入金）	700

解答のPoint!

① 手形による借入れ→手形借入金（負債）の増加
② 当座預金への預け入れ→当座預金（資産）の増加

051

手形借入金（約束手形の振り出し②）

関西商工銀行から¥500を借り入れ、約束手形を振り出した①。これにともない借入期間の利息（日割計算）があらかじめ控除された金額が、当座預金口座に振り込まれた②。なお、この借入金の借入期間は73日、利率は3％である。なお、1年は365日とする。

（当座預金）	497	（手形借入金）	500
（支払利息）	3*		

＊ $500円 \times 3\% \times \frac{73日}{365日} = 3円$

解答のPoint!

① 手形による借入れ→手形借入金（負債）の増加
② 利息を差し引いた額が当座預金口座に振り込まれた→支払利息（費用）の発生、当座預金（資産）の増加

052

手形借入金の決済①

手形借入金￥9,000が満期を迎え、同額が当座預金口座から引き落とされ、約束手形が返却された。

Hint! 手形による借入時に手形借入金（負債）で処理しています。

（手形借入金）	9,000	（当座預金）	9,000

解答のPoint!

① 手形借入金が満期→手形借入金（負債）の減少

② 当座預金口座からの引き落とし→当座預金（資産）の減少

053

手形借入金の決済②

約束手形を振り出すことで、取引銀行より、￥6,000を期間10か月（年利率6％）で借り入れていたが、本日返済期日となり借入期間の利息とともに小切手を振り出して支払った。

（手形借入金）	6,000	（当座預金）	6,300
（支払利息）	300*		

＊ $6{,}000\text{円} \times 6\% \times \dfrac{10\text{か月}}{12\text{か月}} = 300\text{円}$

解答のPoint!

① 手形による借入金の返済→手形借入金（負債）の減少

② 借入期間の利息→支払利息（費用）の発生

③ 小切手の振り出し→当座預金（資産）の減少

054

有形固定資産の取得原価①

事務所を建てる目的で購入した土地について、建設会社に依頼していた整地作業が完了し、整地費用の代金￥200を現金で支払った。

Hint! 整地費用は、付随費用として土地（資産）の取得原価に含めます。

（土地）	200	（現金）	200

解答のPoint!

① 整地費用→土地の取得原価に含める→土地（資産）の増加

② 現金で支払った→現金（資産）の減少

055

有形固定資産の取得原価②

土地20㎡を1㎡あたり¥400で買い入れ、代金は来月末に支払うことにした。なお、買入手数料¥300は当座預金口座から支払った。

Hint! 買入手数料は、付随費用として取得原価に含めて処理します。

(土　　　地)	8,300*	(未　払　金)	8,000
		(当 座 預 金)	300

* @400円×20㎡+300円=8,300円

解答のPoint!

① 土地の購入と買入手数料→土地（資産）の増加
② 代金を来月末に支払う→未払金（負債）の増加
③ 当座預金口座から支払う→当座預金（資産）の減少

⚠ ここも注意！

商品以外の代金を後払いするときは未払金（負債）で処理します。

056

有形固定資産の取得と消耗品

コピー機¥500とコピー用紙¥20を購入し、代金は後日支払うことにした。

Hint! コピー用紙は消耗品費（費用）で処理します。

(備　　　品)	500	(未　払　金)	520
(消 耗 品 費)	20		

解答のPoint!

① コピー機の購入→備品（資産）の増加
② コピー用紙の購入→消耗品費（費用）の発生
③ 代金は後日支払う→未払金（負債）の増加

057

有形固定資産の取得（複数取引）

オフィス用の建物¥2,000と土地¥3,000を購入した。なお代金は仲介手数料（それぞれの価格の1％）を含めて当座預金口座から支払った。

Hint! 付随費用（仲介手数料）は建物（資産）および土地（資産）の購入原価に含めます。

(建　　　物)	2,020*1	(当 座 預 金)	5,050
(土　　　地)	3,030*2		

*1 2,000円+2,000円×1％=2,020円
*2 3,000円+3,000円×1％=3,030円

解答のPoint!

① 建物と土地の購入→建物（資産）の増加、土地（資産）の増加
② 仲介手数料の支払い→建物（資産）の増加、土地（資産）の増加
③ 当座預金口座から支払った→当座預金（資産）の減少

058

有形固定資産の取得（租税公課・手数料）

事業用に土地¥1,000を購入し①、仲介手数料¥100②および印紙代¥500③を含めて普通預金口座から支払った④。なお印紙代は費用処理するものとする。

Hint! 付随費用（仲介手数料）は土地（資産）の購入原価に含めます。

（土　　地）	1,100*	（普　通　預　金）	1,600
（租　税　公　課）	500		

＊　1,000円＋100円＝1,100円

解答のPoint!

① 土地の購入→土地（資産）の増加
② 仲介手数料の支払い→土地（資産）の増加
③ 印紙代の支払い→租税公課（費用）の発生
④ 普通預金口座から支払った→普通預金（資産）の減少

059

販売目的資産の購入

パソコン販売業を営む群馬株式会社は、長野株式会社から販売用のパソコン¥1,000を購入し①、納品書とともにパソコンを受け取り、代金は月末に支払うこととした②。なお、パソコンの運送費¥200③は現金で支払った④。

Hint! パソコンは自社で使用するために購入したのではなく、販売目的で購入しているため仕入（費用）で処理します。

（仕　　入）	1,200*	（買　掛　金）	1,000
		（現　　金）	200

＊　1,000円＋200円＝1,200円

解答のPoint!

① 販売用パソコンの購入→仕入（費用）の発生
② 月末の支払い→買掛金（負債）の増加
③ 販売用パソコンの運送費→仕入諸掛り→仕入（費用）の発生
④ 現金で支払い→現金（資産）の減少

⚠ ここも注意！

仕入代金の後払いなので未払金（負債）ではなく、買掛金（負債）で処理します。

060

有形固定資産の売却（売却価額＜帳簿価額）

当期首に備品①（取得原価¥5,000、減価償却累計額¥3,000）を¥1,500で売却し③、代金は現金で受け取った④。なお、減価償却の記帳方法は間接法で行っている②。

Hint! 有形固定資産を売却した場合、その帳簿価額を減らします。有形固定資産の帳簿価額とは、取得原価から減価償却累計額を引いた勘定残高をいいます。

（備品減価償却累計額）	3,000	（備　　品）	5,000
（現　　金）	1,500		
（固定資産売却損）	500*		

＊　5,000円－3,000円＝2,000円（帳簿価額）
　　1,500円－2,000円＝△500円（売却損）

解答のPoint!

① 備品の売却→備品（資産）の減少
② 間接法で記帳→備品減価償却累計額（資産のマイナス）の減少
③ 1,500円で売却→売却価額＜帳簿価額→固定資産売却損（費用）の発生
④ 代金を現金で受け取り→現金（資産）の増加

⚠ ここも注意！

期末に売却したときは、1年分の減価償却費を仕訳します。また、期中に売却したときは、期首から売却までの月数で減価償却費を月割計算します。

061

有形固定資産の売却（売却価額>帳簿価額）

以前に購入していた土地①（購入価格¥500、購入手数料¥50）を¥600で売却し②、代金は③後日受け取ることになった。

Hint! 商品以外の物品を売却し、代金を後日受け取る場合は未収入金（資産）で処理します。

（未　収　入　金）	600	（土　　　　地）	550*1
		（固定資産売却益）	50*2

＊1　500円＋50円＝550円（帳簿価額）

＊2　600円－550円＝50円（売却益）

解答のPoint!

① 土地の売却→土地（資産）の減少

② 600円で売却→売却価額>帳簿価額
→固定資産売却益（収益）の発生

③ 代金は後日受け取る→未収入金（資産）の増加

⚠ ここも注意！

有形固定資産の取得原価＝本体の代金（購入代価）＋付随費用（購入手数料など）

062

有形固定資産の賃貸借契約①

事業に使用するために土地を借りており、本日、当月分の賃借料¥1,500①を現金で支払った②。

Hint! 土地の賃借料を支払った場合、支払地代（費用）で処理します。

（支　払　地　代）	1,500	（現　　　　金）	1,500

解答のPoint!

① 土地の賃借料の支払い→支払地代（費用）の発生

② 現金で支払った→現金（資産）の減少

063

有形固定資産の賃貸借契約②

当社はオフィス用のビルを賃借する契約を締結した。なお、敷金¥500①、仲介手数料¥200②、初月の家賃¥100③は普通預金口座から支払っている④。

Hint! 敷金は差入保証金（資産）、仲介手数料は支払手数料（費用）でそれぞれ処理します。

（支　払　家　賃）	100	（普　通　預　金）	800*
（差　入　保　証　金）	500		
（支　払　手　数　料）	200		

＊　100円＋500円＋200円＝800円

解答のPoint!

① 敷金の支払い→差入保証金（資産）の増加

② 仲介手数料の支払い→支払手数料（費用）の発生

③ 家賃の支払い→支払家賃（費用）の発生

④ 普通預金から支払い→普通預金（資産）の減少

064

有形固定資産の賃貸借契約の解約①

賃借契約を解約したことにより、契約時に支払った敷金¥350が返還され①、現金で受け取った②。

💡 **Hint!** 敷金は契約時に、差入保証金（資産）として計上されています。

（現　　　金）	350	（差 入 保 証 金）	350

解答のPoint!

① 敷金の返還→差入保証金（資産）の減少
② 現金で受け取った→現金（資産）の増加

065

有形固定資産の賃貸借契約の解約②

店舗用建物の賃貸借契約解除①にともない、契約時に支払った敷金¥680のうち、修繕費¥540を除いた②残額が普通預金口座に振り込まれた③。

💡 **Hint!** 賃貸借契約を解除する際、差入保証金（資産）から原状回復のための金額が修繕費（費用）として差し引かれ、残額が返金されます。

（修　繕　費）	540	（差 入 保 証 金）	680
（普 通 預 金）	140*		

＊ 680円－540円＝140円

解答のPoint!

① 賃貸借契約の解除→差入保証金（資産）の減少
② 修繕費を除いた→修繕費（費用）の発生
③ 普通預金口座に振り込まれた→普通預金（資産）の増加

066

未払金（備品の購入）

業務で使用する目的で複合コピー機@¥300を5台購入した①。これに係る設置費用は¥50②であり、¥300は小切手を振り出して支払い③、残額は翌月以降の分割払い④とした。

💡 **Hint!** 付随費用（設置費用）は取得原価に含めて処理します。

（備　　　品）	1,550*1	（当 座 預 金）	300
		（未　払　金）	1,250*2

＊1 300円×5台＋50円＝1,550円
＊2 1,550円－300円＝1,250円

解答のPoint!

① コピー機を購入した→備品（資産）の増加
② 設置費用→備品（資産）の増加
③ 小切手を振り出した→当座預金（資産）の減少
④ 翌月以降の支払い→未払金（負債）の増加

067

未収入金（決済）

当社は前月末に¥800の土地を¥880でY社に売却していたが、本日、代金の全額①がY社より当社の普通預金口座に振り込まれた②。

（普通預金）	880	（未収入金）	880

解答のPoint!

① 売却代金の後日受け取り→未収入金（資産）の減少
② 普通預金口座への振り込み→普通預金（資産）の増加

068

改良と修繕（未払金）

建物の改良と修繕を行い、代金¥800は月末に支払うこととした①。このうち¥150は建物の価値を高める支出額（資本的支出）②であり、残額は修繕により現状を維持するための支出（収益的支出）③である。

（建物）	150	（未払金）	800
（修繕費）	650*		

* 800円－150円＝650円

解答のPoint!

① 代金は月末に支払う→未払金（負債）の増加
② 資本的支出→建物（資産）の増加
③ 収益的支出→修繕費（費用）の発生

Hint! 資本的支出は有形固定資産の帳簿価額に加算し、収益的支出は修繕費（費用）で処理します。

⚠ ここも注意！

有形固定資産の価値を高める支出を資本的支出といい、価値を維持する支出を収益的支出といいます。

069

改良と修繕（当座預金）

建物の改良と修繕を行い、その代金¥900を小切手を振り出して支払った①。なお、このうち¥700は免震工事のための支出（資本的支出）②であり、残額は破損した窓の修理費（収益的支出）③である。

（建物）	700	（当座預金）	900
（修繕費）	200		

解答のPoint!

① 小切手を振り出した→当座預金（資産）の減少
② 免震工事の支出（資本的支出）→建物（資産）の増加
③ 修理費の支払い（収益的支出）→修繕費（費用）の発生

070

旅費交通費
（入金時に費用処理する方法）

営業活動で利用する公共交通機関の料金支払用ICカードに現金¥100を入金した①。また、同時に領収書の発行を受けた。なお、入金時に全額費用計上している②。

Hint! 「入金時に全額費用計上する」とあるため、旅費交通費（費用）で処理します。

（旅費交通費）100（現　　金）100

解答のPoint!

① ICカードに現金を入金→現金（資産）の減少
② 全額費用計上→旅費交通費（費用）の発生

⚠ ここも注意！

「入金時に仮払金として処理する」とある場合には、仮払金（資産）で処理します。

071

仮払金の発生

社員の出張にあたり、旅費の概算額¥1,200①を現金で前渡しした②。

Hint! 前渡し分は仮払金（資産）で処理します。

（仮　払　金）1,200（現　　金）1,200

解答のPoint!

① 概算額を前渡し→仮払金（資産）の増加
② 現金で前渡し→現金（資産）の減少

072

仮払金の精算①

従業員が出張から戻り、概算払いしていた旅費交通費を精算し①、現金¥290が返金された②。なお、出張にあたり、旅費の概算額として現金¥2,000を渡していた③。

Hint! 仮払金（資産）の内容と金額が確定したときは、該当する科目に振り替えます。

（現　　金）290（仮　払　金）2,000
（旅費交通費）1,710*

* 2,000円－290円＝1,710円

解答のPoint!

① 旅費交通費を精算→旅費交通費（費用）の発生
② 現金の返金→現金（資産）の増加
③ 仮払金の精算→仮払金（資産）の減少

073

仮払金の精算②

従業員が出張から帰社し、旅費の精算①を行った結果、先に渡していた概算額¥3,000を超えており②、従業員が不足額¥150を立て替えていたことが判明した。そこで、不足額については、次の給料の支払時に従業員へ支払うこととし、未払金として処理する③ことにした。

Hint! 不足額については問題文の指示に従いましょう。

借方	金額	貸方	金額
(旅費交通費)	3,150*	(仮払金)	3,000
		(未払金)	150

＊ 3,000円＋150円＝3,150円

解答のPoint!

① 旅費の精算→旅費交通費（費用）の発生
② 仮払金の精算→仮払金（資産）の減少
③ 未払金として処理→未払金（負債）の増加

074

仮受金の発生

出張中の社員から、当座預金口座に¥900が①入金されたが、その内容は不明②である。

Hint! 内容が不明の入金は仮受金（負債）で処理しておきます。

借方	金額	貸方	金額
(当座預金)	900	(仮受金)	900

解答のPoint!

① 当座預金口座に入金→当座預金（資産）の増加
② 内容が不明の入金→仮受金（負債）の増加

075

仮受金の内容判明

以前に仮受金として処理していた内容不明の①当座預金口座への入金は、新潟株式会社から注文を受けた際の手付金の受取額②¥500と富山株式会社に対する掛け代金の回収額③¥150であることが判明した。

借方	金額	貸方	金額
(仮受金)	650*	(前受金)	500
		(売掛金)	150

＊ 500円＋150円＝650円

解答のPoint!

① 仮受金の内容が判明→仮受金（負債）の減少
② 手付金の受取額→前受金（負債）の増加
③ 掛け代金の回収→売掛金（資産）の減少

076

従業員立替金

①従業員が負担すべき生命保険料¥850を当社が②小切手を振り出して立替払いした。

(従業員立替金)	850	(当 座 預 金)	850

解答のPoint!

① 従業員が負担する生命保険料を立て替えたとき→従業員立替金（資産）の増加

② 小切手の振り出し→当座預金（資産）の減少

Hint! 従業員の保険料を立て替えた場合は従業員立替金（資産）で処理します。

⚠ ここも注意！

従業員立替金（資産）は立替金（資産）で処理することもあります。

077

立替金の回収

①先に立替払いしていた発送費の精算として、取引先から②普通為替証書（郵便為替証書）¥300を受け取った。

(現 金)	300	(立 替 金)	300

解答のPoint!

① 立替金の回収→立替金（資産）の減少

② 普通為替証書（郵便為替証書）の受け取り→現金（資産）の増加

078

給料の支払い（徴収①）

従業員への①給料支給額総額¥9,000から、②従業員への貸付金の返済額¥3,000およびその利息¥300、所得税の源泉徴収額¥2,200を差し引き、残額を③当座預金口座から支払った。

(給 料)	9,000	(従業員貸付金)	3,000
		(受 取 利 息)	300
		(所得税預り金)	2,200
		(当 座 預 金)	3,500*

* 9,000円－3,000円－300円－2,200円＝3,500円

解答のPoint!

① 給料支給額総額→給料（費用）の発生

② 従業員への貸付金の返済額とその利息および所得税の源泉徴収額→従業員貸付金（資産）の減少、受取利息（収益）の発生、所得税預り金（負債）の増加

③ 当座預金口座からの支払い→当座預金（資産）の減少

Hint! 給料の支払いは給料（費用）で、所得税の源泉徴収額は所得税預り金（負債）で処理します。

079

給料の支払い（徴収②）

従業員に対する給料①¥5,500について、所得税の源泉徴収額②¥270と従業員負担の社会保険料¥480を差し引いた残額を普通預金口座③から支払った。

Hint! 従業員負担の社会保険料を預かっている場合、社会保険料預り金（負債）で処理します。

（給　　　料）	5,500	（所得税預り金）	270
		（社会保険料預り金）	480
		（普　通　預　金）	4,750*

＊ 5,500円－270円－480円＝4,750円

解答のPoint!

① 給料の支払い→給料（費用）の発生
② 所得税の源泉徴収額と従業員負担の社会保険料を差し引いた→所得税預り金（負債）、社会保険料預り金（負債）の増加
③ 普通預金口座から支払った→普通預金（資産）の減少

⚠ ここも注意！

所得税預り金（負債）や社会保険料預り金（負債）は、預り金（負債）で処理することもあります。

080

給料の支払い（徴収③）

従業員に対する給料総額①¥9,000について、従業員に対する貸付け②の返済額¥1,500、所得税の源泉徴収額③¥1,000および社会保険料④¥400を控除した残額を普通預金口座⑤から支払った。

Hint! 従業員への貸付け額は、従業員貸付金（資産）で処理します。

（給　　　料）	9,000	（従業員貸付金）	1,500
		（所得税預り金）	1,000
		（社会保険料預り金）	400
		（普　通　預　金）	6,100*

＊ 9,000円－1,500円－1,000円－400円＝6,100円

解答のPoint!

① 給料の支払い→給料（費用）の発生
② 従業員への貸付金の返済額→従業員貸付金（資産）の減少
③ 所得税の源泉徴収額→所得税預り金（負債）の増加
④ 社会保険料→社会保険料預り金（負債）の増加
⑤ 普通預金口座から支払い→普通預金（資産）の減少

⚠ ここも注意！

従業員貸付金（資産）は貸付金（資産）で処理することもあります。

081

給料の支払い（納付①）

従業員の所得税の源泉徴収額①¥1,550を普通預金口座②から納付した。

Hint! 源泉徴収税額は給料支払時に所得税預り金（負債）で処理しています。

（所得税預り金）	1,550	（普　通　預　金）	1,550

解答のPoint!

① 所得税の源泉徴収額を納付→所得税預り金（負債）の減少
② 普通預金口座から納付→普通預金（資産）の減少

082

給料の支払い（納付②）

従業員の厚生年金保険料¥2,400を①普通預金口座から支払った。なお、当該②厚生年金保険料のうち¥1,200は従業員負担分であり、残りの③¥1,200が会社負担分である。

Hint! 社会保険料の従業員負担分は社会保険料預り金（負債）で、会社負担分は法定福利費（費用）で処理します。

（社会保険料預り金）1,200（普　通　預　金）2,400
（法 定 福 利 費）1,200

解答のPoint!

① 普通預金口座から支払い→普通預金（資産）の減少
② 厚生年金保険料の従業員負担分の納付→社会保険料預り金（負債）の減少
③ 厚生年金保険料の会社負担分の納付→法定福利費（費用）の発生

083

給料の支払い（納付③）

７月８日、本年度の①雇用保険料（概算）¥360を現金で一括納付した。このうち②会社負担分は、¥240であり、残額は従業員負担分（月額相当額¥10）である。従業員負担分は、③４～６月分については過去の給料から毎月月額相当額を差し引いているため、これを充当するが、④７月以降の９か月分は会社が概算で立て替えて支払う。

Hint! 従業員負担分のうち、今後、給料から差し引く分は従業員立替金（資産）で処理します。

（法 定 福 利 費）240　（現　　　　金）360
（社会保険料預り金）30*1
（従 業 員 立 替 金）90*2

*1　10円×3か月＝30円　*2　10円×9か月＝90円

解答のPoint!

① 現金で一括納付→現金（資産）の減少
② 社会保険料会社負担分→法定福利費（費用）の発生
③ 従業員負担分のうち預り分→社会保険料預り金（負債）の減少
④ 従業員負担分の立て替え→従業員立替金（資産）の増加

⚠ ここも注意！
社会保険料の会計処理は、問題文の指示に従いましょう。

084

訂正仕訳（誤記入①）

当社の仕入先である福島株式会社に対する②買掛金¥2,000の支払いとして、同社宛の約束手形を振り出した際に、①誤って借方科目と貸方科目を反対に記帳してしまったため、③これを訂正する。

Hint! 訂正仕訳は①誤った仕訳→①' 誤った仕訳の逆仕訳→②正しい仕訳→③誤った仕訳の逆仕訳と正しい仕訳を足す、という手順で行います。

（買　　掛　　金）4,000（支　払　手　形）4,000

解答のPoint!

① 誤った仕訳
　（支払手形）2,000　（買 掛 金）2,000
①' 誤った仕訳の逆仕訳
　（買 掛 金）2,000　（支払手形）2,000
② 正しい仕訳
　（買 掛 金）2,000　（支払手形）2,000
③ 誤った仕訳の逆仕訳と正しい仕訳を足す
　（買 掛 金）2,000　（支払手形）2,000
＋（買 掛 金）2,000　（支払手形）2,000
　（買 掛 金）4,000　（支払手形）4,000

085

訂正仕訳（誤記入②）

得意先から、②前期に貸倒れとして処理した売掛金¥8,000のうち¥5,000が回収され、当座預金口座に振り込まれたが、①誤って貸方を売掛金として処理していたことが判明したので、③修正する。訂正にあたっては、記録の誤りのみを部分的に修正する方法によること。

Hint! 前期以前に貸倒れ処理した売掛金を当期に回収したときは回収額を償却債権取立益（収益）で処理します。

(売　掛　金)	5,000	(償却債権取立益)	5,000

解答のPoint!

① 誤った仕訳

(当座預金)	5,000	(売 掛 金)	5,000

①' 誤った仕訳の逆仕訳

(売 掛 金)	5,000	(当座預金)	5,000

② 正しい仕訳

(当座預金)	5,000	(償却債権取立益)	5,000

③ 誤った仕訳の逆仕訳と正しい仕訳を足す

	(売 掛 金)	5,000	~~(当座預金)~~	~~5,000~~
+	~~(当座預金)~~	~~5,000~~	(償却債権取立益)	5,000
	(売 掛 金)	5,000	(償却債権取立益)	5,000

086

現金過不足（期中発生①）

現金の実際有高について実査を行ったところ、①帳簿残高¥1,200、実際有高¥1,000であったので、②不一致の原因を調査することにした。

Hint! 帳簿残高を実際有高に一致させる処理を行う必要があります。

(現 金 過 不 足)	200*	(現　　金)	200

＊ 1,000円－1,200円＝△200円（借方）

解答のPoint!

① 現金の実際有高が帳簿残高より少なかった→現金（資産）の減少

② 不一致の原因を調査→現金過不足（借方）の発生

⚠ ここも注意！

まず現金（資産）の帳簿残高を実際有高に一致させ、次に相手科目を現金過不足とします。

現金過不足は不一致の金額を一時的に処理する勘定科目なので、簿記の５要素のどれにもあてはまりません。

087

現金過不足（期中発生②）

月末に現金の実査を行ったところ、①現金の実際有高が帳簿残高より¥4,200過剰であることが判明したため、②帳簿残高と実際有高を一致させる処理を行うとともに、引き続き原因を調査することとした。なお、当社では、現金過不足の雑益または雑損勘定への振り替えは、決算時に行うこととしている。

Hint! 現金の実際有高と帳簿残高の不一致は、現金過不足で処理します。

(現　　金)	4,200	(現 金 過 不 足)	4,200

解答のPoint!

① 現金の実際有高が帳簿残高より過剰→現金（資産）の増加

② 帳簿残高と実際有高を一致させる処理を行う→現金過不足（貸方）の発生

088

現金過不足（期中判明①）

原因が不明だった現金過不足の借方残高¥240の調査を行ったところ、水道光熱費の計上漏れであることが判明した。

Hint! 現金過不足の借方残高は、実際有高が帳簿残高より不足している場合に計上されます。

（水道光熱費）	240	（現金過不足）	240

解答のPoint!

① 現金過不足の原因判明→現金過不足の消滅
② 水道光熱費の計上漏れ→水道光熱費（費用）の発生

089

現金過不足（期中判明②）

現金の実際有高が帳簿残高よりも¥120過剰であったため現金過不足勘定で処理していた。原因を調査したところ、同額の売掛金の回収が未記帳であった。

Hint! 現金過不足の原因が判明したときは、現金過不足を減少させます。

（現金過不足）	120	（売掛金）	120

解答のPoint!

① 現金過不足の原因判明→現金過不足の消滅
② 売掛金の回収が未記帳→売掛金（資産）の減少

090

現金過不足（決算整理）

現金の実際有高が帳簿残高より¥600不足していたため、かねて現金過不足勘定で処理しておいたが、その原因を調査したところ、消耗品費¥1,200の記入漏れと保険料の支払額¥2,200を¥3,500とする誤記入が判明した。なお、残額については原因不明のため、雑損または雑益として処理することとした。

Hint! 決算日においても現金過不足の内容が不明な場合、雑損（費用）もしくは雑益（収益）で処理します。

（消耗品費）	1,200	（現金過不足）	600
（雑損）	700*2	（保険料）	1,300*1

*1　3,500円－2,200円＝1,300円　*2　貸借差額

解答のPoint!

① 現金過不足の原因判明→現金過不足の消滅
② 消耗品費の記入漏れ→消耗品費（費用）の発生
③ 保険料の支払額の誤記入（過剰）→保険料（費用）の消滅
④ 残額については不明→現金過不足勘定の借方残高→雑損（費用）の発生

⚠ ここも注意！

決算整理において、現金過不足は必ず消去されるので、現金過不足は貸借対照表には記載されません。

091

租税公課・通信費

郵便局で、収入印紙①¥5,000と郵便切手②¥800を現金で購入③した。なお、これらはただちに使用している。

Hint! 収入印紙を購入した場合、租税公課（費用）で処理します。

（租税公課）	5,000	（現金）	5,800
（通信費）	800		

解答のPoint!

① 収入印紙→租税公課（費用）の発生
② 郵便切手→通信費（費用）の発生
③ 現金で購入→現金（資産）の減少

⚠ ここも注意！

租税公課（費用）で処理する取引には他に自動車税の納付などがあり、通信費（費用）で処理する取引には他に電話料金の支払いなどがあります。また、事務用とされるものに関しては、消耗品費（費用）として処理します。

092

租税公課

土地の固定資産税¥300について納付書を受①け取り、未払金に計上することなく、ただち②に現金で支払った。

Hint! 固定資産税を納付する場合は、租税公課（費用）で処理します。

（租税公課）	300	（現金）	300

解答のPoint!

① 土地の固定資産税の納付→租税公課（費用）の発生
② 現金で支払った→現金（資産）の減少

093

貯蔵品（通信費・租税公課）

決算につき、郵便切手の未使用分①¥300と収入印紙の未使用分¥100を貯蔵品勘定へ振り替えた。

Hint! 郵便切手や収入印紙が決算日において残っているときは残っている分を貯蔵品（資産）に振り替えます。

（貯蔵品）	400	（通信費）	300
		（租税公課）	100

解答のPoint!

① 郵便切手と収入印紙の未使用分の貯蔵品への振り替え
→貯蔵品（資産）の増加
→通信費（費用）・租税公課（費用）の消滅

094

貯蔵品（再振替仕訳）

①前期末において、切手の未使用分¥300と収入印紙の未使用分¥200を貯蔵品勘定へ振り替える処理を行っていたが、②本日（当期首）、再振替仕訳を行った。

Hint! 前期末に貯蔵品（資産）に振り替えていた通信費（費用）と租税公課（費用）を、当期首に振り戻します。

（通　信　費）	300	（貯　蔵　品）	500
（租 税 公 課）	200		

解答のPoint!

① 前期末の仕訳→

（貯 蔵 品）	500	（通 信 費）	300
		（租税公課）	200

② 再振替仕訳→
前期末の仕訳の貸借逆仕訳

095

当座借越（再振替仕訳）

①前期の決算において、当座借越勘定に振り替えていた当座預金の貸方残高¥600について、②本日（当期首）、再振替仕訳を行った。

Hint! 前期の決算において振り替えていた当座借越（負債）は、当期首に決算整理仕訳と逆の仕訳を行って、もとの当座預金（資産）に振り戻します（再振替仕訳）。

（当 座 借 越）	600	（当 座 預 金）	600

解答のPoint!

① 前期末の仕訳→

（当座預金）	600	（当座借越）	600

② 再振替仕訳→
前期末の仕訳の貸借逆仕訳

⚠ ここも注意！

期末時点で当座預金（資産）が貸方残高の場合、一時的な銀行からの借り入れと考え、決算整理としてその貸方残高を当座借越（負債）または借入金（負債）の貸方に振り替えます。

096

売上債権の貸倒れ処理（当期貸倒れ）

①当期に得意先三重株式会社に商品を売り上げたことで発生した売掛金¥500が貸し倒れた。なお、貸倒引当金の残高は¥700である。

Hint! 当期に発生した売掛金が貸し倒れたときは全額を貸倒損失（費用）で処理します。

（貸 倒 損 失）	500	（売　掛　金）	500

解答のPoint!

① 当期に発生した売掛金の貸倒れ→売掛金（資産）の減少
当期の貸倒れの計上→貸倒損失（費用）の発生

⚠ ここも注意！

得意先に対する債権が、相手方の倒産等で回収不能になることを貸倒れといい、その債権を帳簿から減額することを貸倒れ処理といいます。企業は将来の貸倒れに備え、決算整理において貸倒引当金（資産のマイナス）を設定します。

097

貸倒れ
（貸倒れの見積り）

当期の決算において、売掛金の残高¥3,000に対して、3％の貸倒引当金を設定する①。なお、貸倒引当金の期末残高は¥120である。

Hint！ 貸倒引当金の期末残高が当期設定額よりも多い場合はその差額を貸倒引当金から減らし、貸方は貸倒引当金戻入（収益）で処理します。

（貸 倒 引 当 金） 30*（貸倒引当金戻入） 30

＊ 3,000円×3％＝90円
（期末残高）120円－（当期設定額）90円＝30円

解答のPoint！

① 貸倒引当金の設定→当期設定額＜貸倒引当金期末残高→貸倒引当金（資産のマイナス）の減少、貸倒引当金戻入（収益）の発生

⚠ ここも注意！

・当期設定額＞貸倒引当金期末残高の場合の仕訳
（貸倒引当金繰入）××× （貸 倒 引 当 金）×××

098

売上債権の貸倒れ処理
（貸倒れ金額 ≦ 貸倒引当金残高①）

得意先北東株式会社が倒産し、前期に生じた北東株式会社に対する売掛金¥600が貸し倒れた①。なお、貸倒引当金の残高は¥700②である。

Hint！ 前期以前に発生した売掛金（資産）が貸し倒れた場合、貸倒引当金（資産のマイナス）の残高を取り崩します。

（貸 倒 引 当 金） 600（売 掛 金） 600

解答のPoint！

① 前期に発生した売掛金の貸倒れ→売掛金（資産）の減少

② 貸倒引当金の残高の取り崩し→貸倒引当金（資産のマイナス）の減少

099

売上債権の貸倒れ処理
（貸倒れ金額 ≦ 貸倒引当金残高②）

奈良株式会社に対する前期の商品売買により発生した売掛金¥300①について、本日、¥100を現金で回収し②、残額は貸し倒れた③。なお、貸倒引当金の残高は¥250である。

（現　　　金） 100（売 掛 金） 300
（貸 倒 引 当 金） 200*

＊ 300円－100円＝200円

解答のPoint！

① 前期に発生した売掛金の回収と貸倒れ→売掛金（資産）の減少

② 現金回収→現金（資産）の増加

③ 貸倒引当金の残高の取り崩し→貸倒引当金（資産のマイナス）の減少

100

売上債権の貸倒れ処理（貸倒れ金額 ＞ 貸倒引当金残高）

得意先が倒産したため、同社に対する前期以前に発生した売掛金¥200を貸倒れとして処理する①。なお、貸倒引当金の残高は¥180②である。

Hint! 前期以前に発生した売掛金が貸し倒れた場合、まずは貸倒引当金の残高を取り崩し、超過分は貸倒損失（費用）で処理します。

（貸　倒　引　当　金）180　（売　　掛　　金）200
（貸　　倒　　損　　失）　20*

＊　180円－200円＝△20円

解答のPoint!

① 前期に発生した売掛金の貸倒れ→売掛金（資産）の減少

② 貸倒引当金の残高の取り崩し→貸倒引当金（資産のマイナス）の減少
貸倒引当金の超過分→貸倒損失（費用）の発生

101

貸倒れ（償却債権取立益）

前期に貸倒れとして処理していた①岐阜株式会社に対する売掛金¥1,500のうち、¥600を現金で回収することができたので、ただちに当座預金とした②。

Hint! 前期以前に貸倒れ処理した売掛金を当期に回収したときは、回収額を償却債権取立益（収益）で処理します。

（当　座　預　金）600（償却債権取立益）600

解答のPoint!

① 前期に貸倒れ処理した売掛金の回収→償却債権取立益（収益）の発生

② ただちに当座預金とした→当座預金（資産）の増加

102

決算振替（仕入）

決算整理を行い、仕入勘定において売上原価¥900が算定された①。そこで、損益勘定に振り替えた。

Hint! 費用の各勘定残高は損益勘定の借方に振り替えます。

（損　　　　益）900（仕　　　　入）900

解答のPoint!

① 仕入勘定の損益勘定への振り替え
→（借方）損益勘定
→仕入（費用）の消滅

⚠ ここも注意！

損益勘定の借方に費用の勘定残高を、貸方に収益の勘定残高を振り替えて、純損益を計算します。このとき行われる仕訳を決算振替仕訳といいます。

損益勘定は純損益を計算するための勘定なので、簿記の５要素のどれにもあてはまりません。

103

決算振替（売上戻り）

決算において、当期の総売上高¥1,850のう①ち、売上戻り高は¥130であり、いずれも売上勘定に転記されている。よって、決算整理後の売上勘定の貸方残高を損益勘定に振り替える。

Hint! 問題文の「売上勘定の貸方残高」は、総売上高から売上戻り高を差し引いた金額です。収益の各勘定残高は損益勘定の貸方に振り替えます。

（売　　　上）1,720*（損　　　益）1,720

＊ 1,850円－130円＝1,720円

解答のPoint!

① 売上勘定の貸方残高を損益勘定に振り替え
　→（貸方）損益勘定
　→売上（収益）の消滅

104

決算振替（繰越利益剰余金）

福井株式会社は、第1期決算において、当期①純利益¥400を計上した。

Hint! 損益勘定で計算された当期純利益は繰越利益剰余金（資本）に振り替えます。

（損　　　益）400（繰越利益剰余金）400

解答のPoint!

① 当期純利益の計上
　→繰越利益剰余金（資本）の増加
　→（借方）損益勘定

⚠ ここも注意！

当期純損失の場合の仕訳は以下のようになります。

（繰越利益剰余金）×××（損　　　益）×××

105

再振替仕訳（収益の前受け）

前期の決算において、前受処理した家賃①¥300について、本日（当期首）②に再振替仕訳を行った。

Hint! 前期末の決算整理仕訳と逆の仕訳をします。

（前 受 家 賃）300（受 取 家 賃）300

解答のPoint!

① 前期末の仕訳→
　（受取家賃）　300　（前受家賃）　300

② 再振替仕訳→
　前期末の仕訳の貸借逆仕訳

⚠ ここも注意！

前受収益（負債）のような勘定科目を経過勘定といいます。経過勘定には、ほかに、前払費用（資産）、未収収益（資産）、未払費用（負債）があります。

106

再振替仕訳（費用の未払い）

前期の決算において、支払家賃のうち¥700を未払家賃として計上していた①ので、本日(当期首)、再振替仕訳を行った②。

Hint! 前期末の決算整理仕訳と逆の仕訳をします。

（未　払　家　賃）700（支　払　家　賃）700

解答のPoint!

① 前期末の仕訳→
（支払家賃）　700　（未払家賃）　700

② 再振替仕訳→
前期末の仕訳の貸借逆仕訳

107

株式の発行（設立時）

群馬株式会社は設立につき1株当たり¥50で6株の株式を発行し①、¥300の払い込みを受けた。払込金額は普通預金口座へ払い込まれた②。

Hint! 株式を発行したときは、原則として払込金額の全額を資本金（資本）として処理します。

（普　通　預　金）300（資　　本　　金）300*

＊　@50円×6株＝300円

解答のPoint!

① 株式を発行→資本金（資本）の増加

② 普通預金口座への払い込み→普通預金（資産）の増加

108

株式の発行（増資時）

三重株式会社は増資を行うことになり、1株あたり¥50で株式を新たに10株発行し①、出資者より当社の当座預金口座に払い込みがなされた②。なお、払込金額は全額資本金とする。

（当　座　預　金）500（資　　本　　金）500*

＊　@50円×10株＝500円

解答のPoint!

① 増資時の株式の発行→資本金（資本）の増加

② 当座預金口座への払い込み→当座預金（資産）の増加

109

剰余金の配当と処分（配当と処分）

株主総会で繰越利益剰余金①¥1,000のうち一部を次のとおり配当および処分することが承認された。

株主配当金②：¥100

利益準備金の積み立て③：¥10

Hint！ 株主総会で配当金額が承認された場合、未払配当金（負債）で処理します。

（繰越利益剰余金）	110*	（未払配当金）	100
		（利益準備金）	10

＊ 100円＋10円＝110円

解答のPoint！

① 繰越利益剰余金の配当と処分→繰越利益剰余金（資本）の減少

② 配当金額の決定→未払配当金（負債）の増加

③ 利益準備金の積み立て→利益準備金（資本）の増加

110

剰余金の配当と処分（配当金の支払い）

当社は、6月に開催された株主総会で承認された株主への配当金¥800を、普通預金口座から支払った①。

Hint！ 配当金は株主総会での承認時に、未払配当金（負債）で処理されています。

（未払配当金）	800	（普通預金）	800

解答のPoint！

① 配当金を、普通預金口座から支払った
→未払配当金（負債）の減少
→普通預金（資産）の減少

111

法人税等（中間申告）

法人税、住民税及び事業税の中間申告を行い①、¥500を普通預金口座から支払った②。

Hint！ 中間申告で法人税、住民税及び事業税を支払った場合、仮払法人税等（資産）で処理します。

（仮払法人税等）	500	（普通預金）	500

解答のPoint！

① 法人税、住民税及び事業税の中間申告→仮払法人税等（資産）の増加

② 普通預金口座から支払った→普通預金（資産）の減少

112

法人税等 (決算)

①法人税、住民税及び事業税の年間の確定額は¥550であった。なお、②期中に中間申告を行い法人税、住民税及び事業税¥250を現金で納付していた。

Hint! 中間申告の際に、仮払法人税等 (資産) が借方に計上されています。

(法人税、住民税及び事業税)	550	(仮払法人税等)	250
		(未払法人税等)	300*

＊ 550円－250円＝300円

解答のPoint!

① 法人税、住民税及び事業税の確定→法人税、住民税及び事業税（費用）の発生

② 期中に中間申告を行っていた→仮払法人税等（資産）の減少→差額→未払法人税等（負債）の増加

113

法人税等 (確定申告)

前期の決算において計上した①未払法人税等¥900について、確定申告を行い②小切手を振り出して納付した。

Hint! 決算において未払法人税等 (負債) が計上されています。

(未払法人税等)	900	(当座預金)	900

解答のPoint!

① 未払法人税等について確定申告を行う→未払法人税等（負債）の減少

② 小切手を振り出した→当座預金（資産）の減少

114

消費税 (支払い)

仕入先岡山株式会社に注文していた①商品（本体価格¥200）が本日到着した。商品代金のうち②¥100は手付金としてあらかじめ支払済みであるためこれを差し引き、③残額は掛けとした。なお、④消費税の税率は10%とし、税抜方式で処理する。

Hint! 商品の仕入取引において税抜方式では、支払った消費税額は仮払消費税（資産）で処理します。

(仕入)	200	(前払金)	100
(仮払消費税)	20*1	(買掛金)	120*2

＊1 200円×10%＝20円

＊2 200円＋20円－100円＝120円

解答のPoint!

① 商品を仕入れた→仕入（費用）の発生

② 手付金を差し引く→前払金（資産）の減少

③ 残額は掛けとした→買掛金（負債）の増加

④ 消費税は税抜方式で処理→仮払消費税（資産）の増加

115

消費税（受け取り）

商品¥5,500（消費税10%を含む）を得意先に掛けで売り渡した①。消費税は税抜方式②で処理する。

Hint! 受け取った消費税は、仮受消費税（負債）で処理します。

（売掛金）	5,500	（売上）	5,000
		（仮受消費税）	500*

* 5,500円×$\frac{10\%}{100\%+10\%}$＝500円

解答のPoint!

① 掛け販売→売掛金（資産）の増加、売上（収益）の発生

② 消費税は税抜方式→仮受消費税（負債）の増加

116

消費税（決算）

決算において仮払消費税勘定残高が¥400①、仮受消費税勘定残高が¥500②であったので、納付すべき消費税の額を未払消費税③として計上した。

Hint! 未払消費税（負債）は、預かった消費税（仮受消費税）と支払った消費税（仮払消費税）の差額となります。

（仮受消費税）	500	（仮払消費税）	400
		（未払消費税）	100*

* 500円－400円＝100円

解答のPoint!

① 仮払消費税を相殺→仮払消費税（資産）の減少

② 仮受消費税を相殺→仮受消費税（負債）の減少

③ ①と②の差額→未払消費税を計上→未払消費税（負債）の増加

117

消費税（確定申告）

未払い計上されていた消費税額¥300①について確定申告を行い、当座預金口座から納付した②。

（未払消費税）	300	（当座預金）	300

解答のPoint!

① 未払消費税を納付→未払消費税（負債）の減少

② 当座預金口座から納付→当座預金（資産）の減少

118

請求書（備品）

事務作業に使用する物品を購入し①、品物とともに次の請求書を受け取り、代金は後日支払う②こととした。

請求書

株式会社山梨商事 御中

兵庫商会株式会社

摘　要	数量	単価	金額
パソコン	1	8,000	¥　8,000
据付費用	1	1,000	¥　1,000
送料	–	–	¥　500
		合　計	¥　9,500

×1年1月31日までに合計額を下記口座へお振込みください。

兵庫銀行神戸支店 普通 1234567 ヒヨウゴシヨウカイ(カ

（備　　品）	9,500	（未　払　金）	9,500

解答のPoint！

① 事務作業用の物品の購入→備品（資産）の増加

② （商品以外の）代金を後日支払う→未払金（負債）の増加

⚠ ここも注意！

請求書、納品書、領収書は物品を購入した際に受け取る証ひょうなので、宛先には購入側の企業名が記載されます。

119

請求書（控）（売上げ）

愛媛株式会社は、以下の請求書の控えにもとづいて、仕訳を行った①。なお、代金は来月末に受け取る②。

請　求　書（控）

岡山株式会社　御中

愛媛株式会社

品　物	数　量	単　価	金　額
ミルククッキー	40	20	¥　800
ミックスクッキー	30	40	¥ 1,200
チョコクッキー	100	30	¥ 3,000
	合　計		¥ 5,000

×5年11月30日までに合計額を下記口座へお振込みください。

M銀行○×支店　当座　3456789　エヒメ（カ

（売　掛　金）	5,000	（売　　上）	5,000

解答のPoint！

① 商品の売上げ→売上（収益）の発生

② 商品の代金は後日受け取る→売掛金（資産）の増加

⚠ ここも注意！

証ひょうに「(控)」と記載があるものは、振り出した側の控えです。仕訳をする際は、受け取った側なのか、振り出した側なのか、ということに注意しましょう。

120

納品書（仕入れ・諸掛り）

販売用の家具を購入し①、品物とともに次の納品書を受け取り、代金のうち¥1,000は先に支払った内金と相殺し②、残額を普通預金口座より支払った③。なお、この家具の購入に係る引取運賃④¥100は現金で支払った⑤。

納品書

株式会社千葉商事 御中

大阪家具株式会社

品　　物	数量	単価	金額
棚	2	700	¥　1,400
ソファ	1	3,000	¥　3,000
		合　計	¥　4,400

（仕　　入）	4,500	（前　払　金）	1,000
		（普 通 預 金）	3,400*
		（現　　金）	100

＊ 4,400円－1,000円＝3,400円

解答のPoint！

① 販売用の家具を購入→仕入（費用）の発生

② 内金と相殺→前払金（資産）の減少

③ 普通預金口座より支払った→普通預金（資産）の減少

④ 引取運賃の支払い→仕入諸掛り→仕入（費用）の発生

⑤ 現金で支払った→現金（資産の減少）

121

納品書兼請求書（売上げ・消費税）

水道橋株式会社は、得意先新宿株式会社に商品を売り上げ①、品物とともに次の請求書（兼納品書）を発送し、代金は掛けとした②。なお、消費税については、税抜方式で記帳している③。

納品書　兼　請求書

新宿株式会社　御中

水道橋株式会社

品　物	数　量	単　価	金　額
A品	10	400	¥　4,000
B品	5	600	¥　3,000
	小　計		¥　7,000
	消費税（10%）		¥　700
	合　計		¥　7,700

×年7月27日までに合計額を下記口座へお振込み下さい。
東京銀行水道橋支店　普通　7654321　スイドウバシ（カ

（売　掛　金）7,700	（売　　　上）7,000
	（仮受消費税）700*

＊　7,000円×10%＝700円

解答のPoint!

① 商品の売り上げ→売上（収益）の発生
② 代金は掛けとした→売掛金（資産）の増加
③ 消費税は税抜方式→仮受消費税（負債）の増加

122

納品書兼請求書（仕入れ・消費税）

神奈川㈱は、仕入先静岡㈱より商品を仕入れ①、品物とともに次の請求書（兼納品書）を受け取った。代金は後日支払う②ものとする。なお、消費税については、税抜方式で記帳している③。

納品書　兼　請求書

神奈川㈱　御中

静岡㈱

品　物	数　量	単　価	金　額
商品甲	4	1,000	¥　4,000
商品乙	5	800	¥　4,000
	小　計		¥　8,000
	消費税（10%）		¥　800
	合　計		¥　8,800

×年7月27日までに合計額を下記口座へお振込み下さい。
浜松銀行静岡支店　普通　7654321　シズオカ（カ

（仕　　　入）8,000	（買　掛　金）8,800
（仮払消費税）800*	

＊　8,000円×10%＝800円

解答のPoint!

① 商品を仕入れ→仕入（費用）の発生
② 代金は後日支払う→買掛金（負債）の増加
③ 消費税は税抜方式→仮払消費税（資産）の増加

123

領収書（仮払金）

従業員が出張から戻り、概算払いしておいた¥3,000を精算した①。その支払内訳は、宿泊費、交通費および出張先で仕入先に支払った買掛金¥1,500であり②、残額を現金で受け取った③。また、以下の領収書が提出された。

領収書
運賃¥800
上記のとおり領収致しました。
X交通㈱

領収書
宿泊費シングル1名
¥600
Aホテル

（買　掛　金）1,500	（仮　払　金）3,000
（旅費交通費）1,400*1	
（現　　　金）100*2	

＊1　800円＋600円＝1,400円
＊2　3,000円－1,500円－1,400円＝100円

解答のPoint!

① 概算払い分を精算→仮払金（資産）の減少
② 宿泊費、交通費および買掛金を支払った→旅費交通費（費用）の発生、買掛金（負債）の減少
③ 現金で受け取った→現金（資産）の増加

124

報告書と領収書（仮払金）

従業員が出張より帰社し、出発時に概算払い①していた¥9,000について、以下の報告書と領収書が提出され②、残額を現金で受け取った③。なお、当社では、1回あたり¥2,000以下の場合、電車賃の領収書の提出は不要である。

旅費交通費等報告書

東西一郎

移動先	手段等	領収書	金　額
奈良駅	電車	無	¥　900
吉野商店	タクシー	有	¥　2,100
五條旅館	宿泊	有	¥　5,000
帰社	電車	無	¥　900
	合　計		¥　8,900

領収書
運賃　¥2,100
上記のとおり領収いたしました。
(株)生駒交通

領収書
宿泊費　¥5,000
またのお越しをお待ちしております。
五條旅館

Hint! 資料の領収書には2,000円以下の電車賃は含まれていないことに注意しましょう。

（旅 費 交 通 費）8,900　（仮　　払　　金）9,000
（現　　　　　金）100*

＊　9,000円－8,900円＝100円

解答のPoint!

① 概算払い分を精算→仮払金（資産）の減少
② 旅費交通費等報告書→旅費交通費（費用）の発生
③ 現金で受け取った→現金（資産）の増加

125

納付書（領収証書）（法人税の中間申告）

東京株式会社は、以下の納付書（領収証書）にもとづき①、普通預金口座から振り込み②により納付した。

領収証書

税目	
	法人税

住所	東京都千代田区 ○○－○○
氏名	東京株式会社

本　　税	¥2,000
○　○　税	
合　計　額	¥2,000

［納期等の区分］　×70401　×80331
(中間申告)　確定申告

出納印
×7.11.14
BB銀行

Hint! 法人税の中間申告は仮払法人税等（資産）で処理します。

（仮払法人税等）2,000　（普　通　預　金）2,000

解答のPoint!

① 法人税の中間申告→仮払法人税等（資産）の増加
② 普通預金口座から振り込み→普通預金（資産）の減少

⚠ ここも注意！

納付書とは、税金を納付する際に用いる証ひょうです。

税目欄に支払った税金の種類が、納期等の区分欄に納期が示されていますので、必ず確認しましょう。

126

納付書（領収証書）（法人税の確定申告）

当社は、以下の納付書（領収証書）にもとづ①いて、当座預金口座から②所定の金額を納付した。

領収証書

税目	
	法人税
住所	東京都品川区 ○○－○○
氏名	品川株式会社
本　税	￥3,500
○　○　税	
合　計　額	￥3,500
納期等の区分	×40401 ×50331
	中間申告　（確定申告）

出納印 ×5.5.27 北東銀行

Hint! 法人税の支払額は、決算時に未払法人税等（負債）で処理しています。

（未払法人税等）3,500（当　座　預　金）3,500

解答のPoint!

① 法人税の確定申告→未払法人税等（負債）の減少
② 当座預金口座から納付→当座預金（資産）の減少

127

納付書（領収証書）（消費税の確定申告）

京都株式会社は、以下の納付書（領収証書）①にもとづき、普通預金口座から振り込みによ②り納付した。

領収証書

税目	
	消費税及び地方消費税
住所	京都府××○○
氏名	京都株式会社
本　税	￥5,000
○　○　税	
合　計　額	￥5,000
納期等の区分	×20401 ×30331
	中間申告　（確定申告）

出納印 ×3.5.22 A銀行

Hint! 消費税の支払額は、決算時に未払消費税（負債）で処理しています。

（未　払　消　費　税）5,000（普　通　預　金）5,000

解答のPoint!

① 消費税の確定申告→未払消費税（負債）の減少
② 普通預金口座から納付→普通預金（資産）の減少

128

約束手形（振り出し）

①商品¥1,200を仕入れた。なお、代金は以下の②約束手形を振り出して支払った。

No.10	約束手形	
収入印紙	熊本株式会社　殿 金額　　¥1,200	支払期日　×5年2月28日 支払地　広島県　広島市　△△ 支払場所　広島銀行　○○支店
×4年11月30日 振出地　○○ 振出人 広島株式会社 印		

（仕　　　　入）1,200
（支　払　手　形）1,200

解答のPoint!

① 商品を仕入れた→仕入（費用）の発生

② 約束手形を振り出した→支払手形（負債）の増加

129

約束手形（受け取り）

①商品2,100円分を長野株式会社に販売し、代金として下記の②約束手形を受け取った。

No.30	約束手形	
収入印紙	石川株式会社　殿 金額　　¥2,100	支払期日　×2年6月30日 支払地　長野県　松本市　△△ 支払場所　松本銀行　○○支店
×2年4月30日 振出地　○○ 振出人 長野株式会社 印		

（受　取　手　形）2,100
（売　　　　上）2,100

解答のPoint!

① 商品を販売→売上（収益）の発生

② 約束手形を受け取った→受取手形（資産）の増加

130

売上集計表（クレジット売掛金・支払手数料）

店頭における本日分の①売上集計結果は以下のとおりであり、これらの合計額のうち②¥1,500はクレジットカードでの決済を行い、残りは③現金で受け取った。なお、信販会社への④手数料（クレジット決済額の10%）も計上する。

売上集計表

×5年2月17日

品　　目	数量	単価	金額
ボールペン	5	100	¥　500
ホッチキス	4	300	¥　1,200
封筒（100枚入）	2	500	¥　1,000
	合　計		¥　2,700

（クレジット売掛金）1,350*2（売　　　　上）2,700
（支 払 手 数 料）150*1
（現　　　　金）1,200*3

*1　1,500円×10%＝150円

*2　1,500円－150円＝1,350円

*3　貸借差額

解答のPoint!

① 売上集計結果→売上（収益）の発生

② クレジットカードでの決済→クレジット売掛金（資産）の増加

③ 現金で受け取った→現金（資産）の増加

④ 手数料を計上→支払手数料（費用）の発生

131

振込依頼書（有形固定資産の賃借）

神奈川株式会社は、事務所として使用する物件の賃借契約を行い、①以下の振込依頼書どおりに②普通預金口座から振り込んだ。

振込依頼書

神奈川株式会社　御中

株式会社横浜不動産

ご契約ありがとうございます。
以下の合計額を下記口座へお振込みください。

内　容	金　額
仲介手数料	¥　2,000
敷金	¥　4,000
初月賃料	¥　3,000
合　計	¥　9,000

川崎銀行横浜支店　当座1122333　カ）ヨコハマフドウサン

（支払手数料）2,000（普通預金）9,000
（差入保証金）4,000
（支払家賃）3,000

解答のPoint!

① 仲介手数料の支払い→支払手数料（費用）の発生
敷金の支払い→差入保証金（資産）の増加
初月賃料の支払い→支払家賃（費用）の発生

② 普通預金口座から振り込んだ→普通預金（資産）の減少

132

入金伝票（売上げ）

①商品を売り上げ、代金¥600のうち¥200を現金で受け取り、残額を掛けとした。この取引について、入金伝票を次のように記入した場合の振替伝票の仕訳を示しなさい。なお、三伝票制を採用しており、商品売買の記帳は三分法による。

②

入金伝票
売　上　　200

Hint! 入金伝票に売上が記入されているため、振替伝票は掛け売上を記入します。

（売掛金）400（売上）400

解答のPoint!

① 取引全体の仕訳→
（現金）200（売上）600
（売掛金）400

② 入金伝票の仕訳→
（現金）200（売上）200

③ 振替伝票の仕訳（①－②）→
（売掛金）400（売上）400

133

入金伝票（売掛金）

①商品を売り上げ、代金¥700のうち¥400を現金で受け取り、残額を掛けとした。この取引について、入金伝票を次のように記入した場合の振替伝票の仕訳を示しなさい。

②

入金伝票
売掛金　　400

Hint! 入金伝票に売掛金が記入されているため、振替伝票は全額について掛けで売り上げたものとして記入します。

（売掛金）700（売上）700

解答のPoint!

① 取引全体の仕訳→
（現金）400（売上）700
（売掛金）300

② 入金伝票の仕訳→
（現金）400（売掛金）400

③ 振替伝票の仕訳→
（売掛金）700（売上）700

《 第1部 解き方テキスト 編 》

第2問対策

第2問の概要

第2問は2つの小問に分かれており、勘定記入問題、補助簿に関する問題、伝票に関する問題、理論問題といったさまざまな形式の問題が出題されます。問題によっては、勘定科目を記号で解答させる形式の問題も出題されますので、問題文を読み飛ばさないように注意しましょう。なお、基本的な帳簿記入は確実に押さえておく必要がありますが、初めて見るような問題が出題されるなど、比較的難易度が高い傾向があります。第2問以外で合格点を叩き出せるような対策が必要でしょう。

	スッキリわかる	簿記の教科書 簿記の問題集	合格テキスト 合格トレーニング	学習のポイント
売掛金・買掛金元帳	第15章	CHAPTER07	テーマ05	借方、貸方の残高に注意して記帳。
商品有高帳				必ず原価で記帳。
売上帳			テーマ14	売上に関する明細を記録。
補助簿の選択				仕訳を分解して考える。
固定資産台帳			テーマ20	固定資産の取引を記録。
勘定記入	第15,19章 など	CHAPTER 07,12,13 など	テーマ 03,26 など	解けるようになると他の大問でも役に立つ。
伝票（3伝票制） 仕訳日計表	第17章	CHAPTER09	テーマ32	3伝票制は、入金伝票と出金伝票と 振替伝票に起票する。
証ひょうの読み取り		CHAPTER13	テーマ31	いつ発行した証ひょうなのかを把握する。
売上原価の算定	第18,19章	CHAPTER 11,13	テーマ18	仕入勘定で算定する方法と 売上原価勘定で算定する方法がある。
決算仕訳		CHAPTER11,12	テーマ 17～23,26	決算は簿記の最終到達地点。
訂正仕訳	第14章	CHAPTER06	テーマ16	間違った仕訳の逆仕訳＋正しい仕訳=訂正仕訳。
経過勘定		CHAPTER11	テーマ23	収益・費用で計上できるのは当期分のみ。
文章題の穴埋め	テキストの学習の際に語句の意味も理解しよう！			

学習方法

勘定記入問題では､問題文の資料で与えられている各勘定や取引の内容から仕訳が書けるようにしましょう。また、勘定を記入する際には、**借方と貸方を間違えないように注意しましょう。**

補助簿に関する問題では、**補助簿の選択、記入、読み取り**といった形式の問題が出題されます。補助簿の選択については、問題文の資料で与えられている取引の仕訳を行ってから問題を解くようにしましょう。特に、商品の仕入れや売り上げに関する取引の場合、商品有高帳にも記入する必要がある点に注意が必要です。

伝票に関する問題では、**仕訳日計表を作成させる問題**が出題されます。仕訳日計表を作成する際には、必ず仕訳を書いてから集計するようにしましょう。

理論問題では、**空欄補充問題や正誤判定問題**といった形式で、これまで学習してきた内容から網羅的に出題されます。特に、取引の内容や簿記一巡に関する用語については、日々の学習において確認をするようにしましょう。

試験中の進め方

勘定記入問題や補助簿に関する問題が出題された場合は、問われている箇所に関連する資料を探し、そこから取引の仕訳を下書用紙に書き出してみましょう。また、問題文だけでなく、答案用紙にも解答するうえでのヒントが書かれていることがあるので、必ず確認しましょう。
理論問題が出題された場合は、わからない問題であっても何かしらの解答を記入するように心がけましょう。

第1問対策
第2問対策
第3問対策

第2問対策 1

勘定記入問題

01 勘定記入とは

1. 仕訳と総勘定元帳

取引から仕訳を行い、借方・貸方それぞれの科目の勘定口座に書き写します。これを「仕訳を勘定に**転記する（勘定記入する）**」といいます。

各勘定口座がまとまった帳簿を**総勘定元帳**といい、この記録が、財務諸表（損益計算書や貸借対照表）を作成するときの基礎となります。

2. 勘定記入の方法

総勘定元帳に記入する内容は、日付・相手勘定科目・金額の３つになります。相手勘定科目が、２つ以上（複数）ある場合には、相手勘定科目を複数記入する代わりに「**諸口**」と記入します。

例：×１年５月１日に 200 円の商品を掛けで売り上げた場合

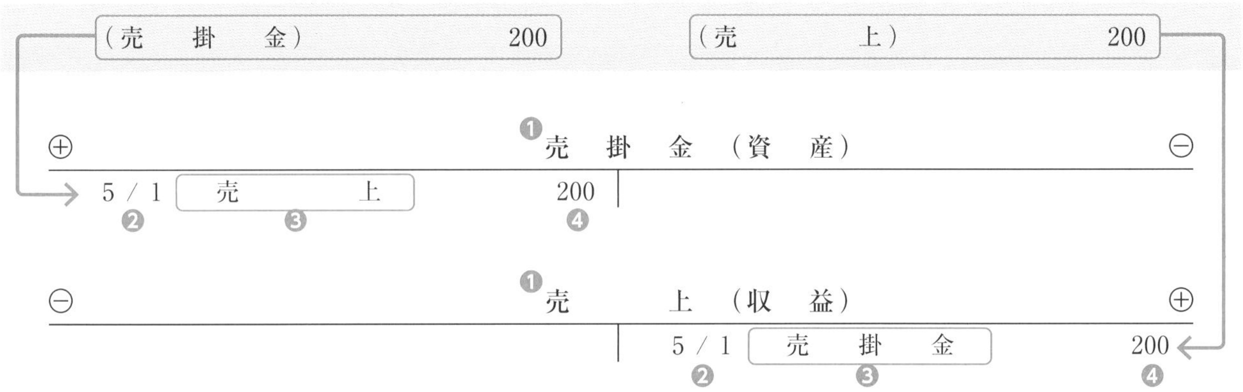

❶…勘定科目名　❷…日付　❸…相手勘定科目　❹…金額

これにより、売掛金勘定を見れば、売掛金が５月１日に売上によって 200 円増加していることがわかり、同じく売上勘定を見れば、売上が５月１日に掛けによって 200 円発生していることがわかります。

02 勘定の締め切り

1. 決算整理仕訳

会社は期末日（決算日）に決算手続を行います。決算手続で行う仕訳を決算整理仕訳といいます。

2. 勘定の締め切り

決算整理仕訳を行い、決算整理後残高試算表ですべての勘定の記録が正しいことを検証したあとに、勘定残高をゼロにして当期と次期の区切りをつける手続きを行います。この手続きを**締め切り**といい、ここでは**英米式決算法**による勘定の締め切りについて学習します。

3. 収益・費用の勘定の締め切り

損益計算書に記載する費用・収益の勘定は最終的な残高を損益勘定に振り替えることにより締め切り、損益勘定で算定した当期純損益を繰越利益剰余金勘定に振り替えます。なお、振り替えるとは、ある勘定の金額を他の勘定へ移動させる手続きをいいます。

締め切りの流れを示すと次のようになります（損益が貸方残高のとき）。

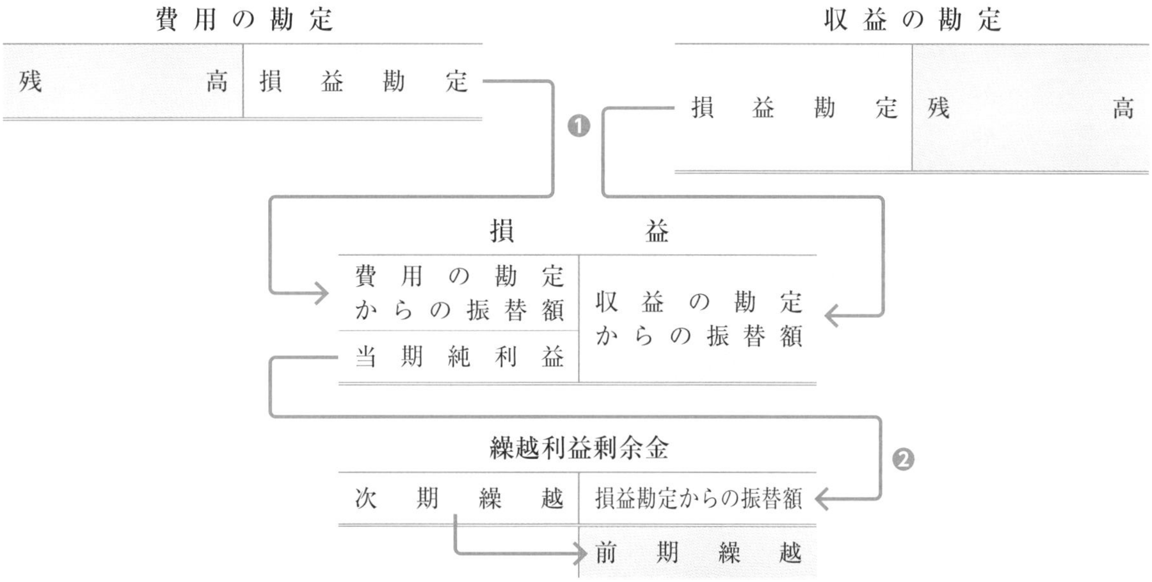

❶…収益・費用の諸勘定残高の損益勘定への振り替え

損益勘定の貸方に収益の勘定残高を、借方に費用の勘定残高を振り替えて、純損益を計算します。なお、このとき行われる仕訳を**決算振替仕訳**といいます。

❷…当期純利益（または当期純損失）の繰越利益剰余金勘定への振り替え

損益勘定の貸方にはすべての収益の勘定残高を、借方にはすべての費用の勘定残高を記入するので、貸借の差額は当期純損益（貸方残高なら**当期純利益**、借方残高なら**当期純損失**）を表します。**株式会社ではこれを繰越利益剰余金勘定**（資本）**に振り替えます**。このとき行われる仕訳も**決算振替仕訳**といいます。

4. 資産・負債・資本（純資産）の勘定の締め切り

貸借対照表に記載する資産・負債・資本（純資産）の勘定は、次期繰越と記入して締め切ります。

資　産　の　勘　定

残　　　　高	次　期　繰　越
前　期　繰　越	

❸

負　債　の　勘　定

次　期　繰　越	残　　　　高
	前　期　繰　越

❸

資本(純資産)の勘定

次　期　繰　越	残　　　　高
	前　期　繰　越

❸

❸…資産・負債・資本（純資産）の諸勘定の締め切り

資産の諸勘定は、残高が借方に生じるので、貸方に「**次《じ》期《き》繰越《くりこし》**」として残高を記入し、負債･資本（純資産）の諸勘定は、残高が貸方に生じるので、借方に「**次期繰越**」として残高を記入し、それぞれ借方と貸方の合計金額を一致させて締め切ります。これを**繰越《くりこし》記入《きにゅう》**（締切記入）といいます。

次に、翌期首の日付で次期繰越と記入した反対側に「**前《ぜん》期《き》繰越《くりこし》**」と記入し、残高を元に戻します。これを**開始《かいし》記入《きにゅう》**といい、通常、繰越記入と同時に行います。また、月単位で締め切る場合、次期繰越は「次月繰越」、前期繰越は「前月繰越」とします。

つまずきポイント～Tフォームの書き方

Tフォームは「その勘定科目がどういう増減をしているのか」を把握するために作るものです。

資産・費用であれば、「増加したら左側、減少したら右側」に記入します。また、負債・資本（純資産）・収益であれば「増加したら右側、減少したら左側」に記入します。

どういった理由で増減したかをメモしたいときには、金額の横に日付と相手勘定を記入しておくとよいでしょう。

ちょっと整理　**Tフォームの読み取り**

次のようなTフォームがあった場合、以下の取引があったとわかります。

売　　上

10/5 売掛金　50	10/1 売掛金　100

- 10月1日、掛けによる売上100円があった。
- 10月5日、（売上戻りなどによって）売上と売掛金が50円減少した。

03 貯蔵品

1. 決算における貯蔵品勘定への振り替え

期末に**未使用の収入印紙や切手**などの換金性が高いものを保有している場合、決算整理仕訳では、租税公課勘定や通信費勘定を**貯蔵品勘定**（**資産**）の借方に振り替えます。

例：×1年3月31日　決算において、収入印紙600円が未使用であった。

（貯　蔵　品）	600	（租　税　公　課）	600

2. 期首における貯蔵品勘定からの再振替仕訳

また、前期から繰り越された貯蔵品勘定は、期首の日付で租税公課勘定や通信費勘定へ振り替えます。これを**再振《さいふり》替《かえ》仕《し》訳《わけ》**といいます。貯蔵品勘定以外には、当座借越勘定でも再振替仕訳を行います。

例：×1年4月1日　期首において、前期より貯蔵品として繰り越された収入印紙600円について再振替仕訳を行う。

（租　税　公　課）	600	（貯　蔵　品）	600

例　題

下記の取引等にもとづいて、当期（×3年4月1日～×4年3月31日）における貯蔵品に関連した答案用紙の3つの勘定の空欄にあてはまる適切な語句または金額を答えなさい。

なお、勘定記入にあたっては、摘要および金額を取引順に記入すること。

【取　引】

×3年4月　1日　前期末に貯蔵品に振り替えていた郵便切手￥500を適切な勘定科目に振り替えた。

×3年9月18日　収入印紙￥15,000を現金で購入した。

×4年3月31日　収入印紙と郵便切手に関して、決算時点で収入印紙￥1,000および郵便切手￥300が未使用であることが判明した。

貯　蔵　品

4／1	前期繰越	500	4／1	[　　　]	(　　　)
3／31	[　　　]	(　　　)	3／31	次期繰越	(　　　)
		(　　　)			(　　　)

租　税　公　課

9／18	[　　　]	(　　　)	3／31	[　　　]	(　　　)
			〃	損　　益	(　　　)
		(　　　)			(　　　)

通　信　費

4／1	[　　　]	(　　　)	3／31	[　　　]	(　　　)
			〃	損　　益	(　　　)
		(　　　)			(　　　)

解　答

貯　蔵　品

4／1	前期繰越	500	4／1	[通　信　費]	(500)
3／31	[諸　　口]	(**1,300**)	3／31	次期繰越	(**1,300**)
		(**1,800**)			(**1,800**)

租　税　公　課

9 / 18	［現　　　金］	（ 15,000 ）	3 / 31	［貯　蔵　品］	（ 1,000 ）
			〃	損　　　益	（ 14,000 ）
		（ 15,000 ）			（ 15,000 ）

通　信　費

4 / 1	［貯　蔵　品］	（ 500 ）	3 / 31	［貯　蔵　品］	（ 300 ）
			〃	損　　　益	（ 200 ）
		（ 500 ）			（ 500 ）

解答の手順

答案用紙の各勘定を確認して、日付ごとの仕訳がどこに記入されるかを考えます。

① ×3年4月1日　再振替仕訳

貯蔵品勘定の前期繰越500円を通信費勘定に振り替えます。

（通　信　費）	500	（貯　蔵　品）	500

② ×3年9月18日　収入印紙の購入

（租　税　公　課）	15,000	（現　　　金）	15,000

③ ×4年3月31日　貯蔵品の処理（決算整理仕訳）

決算時点で未使用の収入印紙と郵便切手を、貯蔵品勘定に振り替えます。

（貯　蔵　品）	1,300*	（租　税　公　課）	1,000
		（通　信　費）	300

＊ 1,000円（収入印紙）＋ 300円（郵便切手）＝ 1,300円

④ ×4年3月31日　損益勘定への振り替え（決算振替仕訳）

租税公課勘定の決算整理後残高14,000円および通信費勘定の決算整理後残高200円を、損益勘定に振り替えて、それぞれの勘定を締め切ります。

（損　　　益）	14,200*	（租　税　公　課）	14,000
		（通　信　費）	200

＊ 14,000円（租税公課）＋ 200円（通信費）＝ 14,200円

租　税　公　課

9 / 18	［現　　　金］	（ 15,000 ）	3 / 31	［貯　蔵　品］	（ 1,000 ）
			〃	損　　　益	（ **14,000** ）
		（ **15,000** ）			（ **15,000** ）

通　信　費

4 / 1	［貯　蔵　品］	（ 500 ）	3 / 31	［貯　蔵　品］	（ 300 ）
			〃	損　　　益	（ **200** ）
		（ **500** ）			（ **500** ）

⑤　×4年3月31日　貯蔵品勘定の締め切り

貯蔵品勘定の決算整理後の借方残高1,300円を、貸方に「次期繰越」と記入し、借方と貸方の合計金額を一致させて締め切ります。

貯　　蔵　　品

4 / 1	前 期 繰 越	500	4 / 1	［通　　信　　費］	（　500）
3 / 31	［諸　　　口］	（　1,300）	3 / 31	次 期 繰 越	（　**1,300**）
		（　**1,800**）			（　**1,800**）

04　売上原価

1. 売上原価と売上総利益

売上原価とは、**期中に販売した商品の原価**です。

売上原価　＝　期首商品棚卸高（期首在庫）　＋　当期商品仕入高（仕入）　－　期末商品棚卸高（期末在庫）

売上総利益とは、**一会計期間における商品の売買益**をいいます。

売上総利益　＝　売上高　－　売上原価

2. 売上原価を算定するための仕訳（決算整理）

売上原価の算定を、主要簿にどのように記帳するか（どの勘定で計算するか）についてはいくつかの方法がありますが、ここでは**仕入勘定で算定する方法**を説明します。

例：×2年3月31日　決算において、期首商品棚卸高は400円、期末商品棚卸高は300円であった。

①　期首商品棚卸高（前期繰越高）を、繰越商品勘定から仕入勘定の借方に振り替えて、仕入勘定に加算します。

（仕　　　入）	400	（繰 越 商 品）	400

②　期末商品棚卸高（次期繰越高）を、仕入勘定から繰越商品勘定の借方に振り替え、仕入勘定から減算し、資産として処理します。

（繰 越 商 品）	300	（仕　　　入）	300

例　題

下記の【資料】にもとづいて、3分法による勘定記入をそれぞれ推定し、答案用紙の3つの勘定の空欄にあてはまる適切な語句または金額を答えなさい。なお、解答上、会計期間は×4年3月1日～×4年3月31日までの1か月とし、3月31日（決算日）を期末として記帳手続を示すものとする。また、商品の売買は掛けで行い、A品の売価は1個あたり100円とする。

【資　料】

商品有高帳

移動平均法　　　　A　品　　　　（数量単位：個、金額単位：円）

×4年		摘要	受入高			払出高			残高		
			数量	単価	金額	数量	単価	金額	数量	単価	金額
3	1	前期繰越	20	40	800				20	40	800
	9	仕　入	30	50	1,500				50	46	2,300
	18	売　上				40	46	1,840	10	46	460
	31	次期繰越				10	46	460			
			50		2,300	50		2,300			

＊　商品有高帳については、補助簿の項目にて詳しく説明しています。（→第1部　75ページ）

繰越商品

3/1	前期繰越	800	3/31	[　　　]	(　　)
3/31	[　　　]	(　　)	〃	次期繰越	(　　)
		(　　)			(　　)

仕　入

3/9	[　　　]	(　　)	3/31	繰越商品	(　　)
3/31	繰越商品	(　　)	〃	損　益	(　　)
		(　　)			(　　)

売　上

3/31	損　益	(　　)	3/18	[　　　]	(　　)

解　答

繰越商品

3/1	前期繰越	800	3/31	[仕　入]	(800)
3/31	[仕　入]	(460)	〃	次期繰越	(460)
		(1,260)			(1,260)

仕　入

3/9	[買掛金]	(1,500)	3/31	繰越商品	(460)
3/31	繰越商品	(800)	〃	損　益	(1,840)
		(2,300)			(2,300)

売　上

3/31	損　益	(4,000)	3/18	[売掛金]	(4,000)

解答の手順

答案用紙の各勘定を確認して、日付ごとの仕訳がどこに記入されるか考えます。なお、商品有高帳は在庫を管理するために用いられる補助元帳であるため、商品の受入高欄・払出高欄はすべて原価で記入されています。

① ×4年3月9日　仕入

(仕　　入)	1,500	(買　掛　金)	1,500

② ×4年3月18日　売上

(売　掛　金)	4,000	(売　　上)	4,000*

＊　100円〈売価〉× 40個 = 4,000円

③ ×4年3月31日　決算整理仕訳

(仕　　入)	800	(繰 越 商 品)	800
(繰 越 商 品)	460	(仕　　入)	460

④ ×4年3月31日　決算振替仕訳

仕入勘定と売上勘定の残高を損益勘定へ振り替え、仕入勘定と売上勘定を締め切ります。

(損　　益)	1,840	(仕　　入)	1,840*

＊　800円 + 1,500円 − 460円 = 1,840円

仕　　入

3/9	[買　掛　金]	(1,500)	3/31	繰 越 商 品	(460)
3/31	繰 越 商 品	(800)	〃	損　　益	(**1,840**)
		(**2,300**)			(**2,300**)

(売　　上)	4,000	(損　　益)	4,000

売　　上

3/31	損　　益	(**4,000**)	3/18	[売　掛　金]	(4,000)

⑤ ×4年3月31日　繰越商品勘定の締め切り

繰越商品勘定の借方残高460円について、貸方に「次期繰越」と記入し、借方と貸方の合計金額を一致させて締め切ります。なお、仕訳は不要です。

繰 越 商 品

3/1	前 期 繰 越	800	3/31	[仕　　入]	(800)
3/31	[仕　　入]	(460)	〃	次 期 繰 越	(**460**)
		(**1,260**)			(**1,260**)

05 経過勘定

1. 経過勘定

決算整理では、収益と費用の記録について、当期の分と次期以降の分を区別する処理を行います。

当期の損益に計上すべきではない金額は「**前払費用**」「**前受収益**」「**未払費用**」「**未収収益**」として、貸借対照表の資産または負債項目として計上します。これらを総称して**経過勘定**といいます。

2. 費用の前払い

当期において支払った費用の額に次期以降の分が含まれているときには、これを当期の費用から差し引かなければなりません。このことを**費用の前払い**といいます。

費用として支払った額のうち、次期以降の費用となる額（前払分）は、決算時に費用の勘定から差し引いて、**前払費用の勘定（資産）**へ振り替えます（決算整理仕訳）。たとえば、前払家賃は、次期における不動産の賃貸契約によるサービスを受ける権利なので、資産となります。

例：×3年3月31日　決算において、×2年10月1日に支払った1年分の家賃400円のうち、未経過の6か月分を前払分として処理する。

（前　払　家　賃）	200*	（支　払　家　賃）	200

＊　400円×$\frac{6\text{か月}}{12\text{か月}}$＝200円

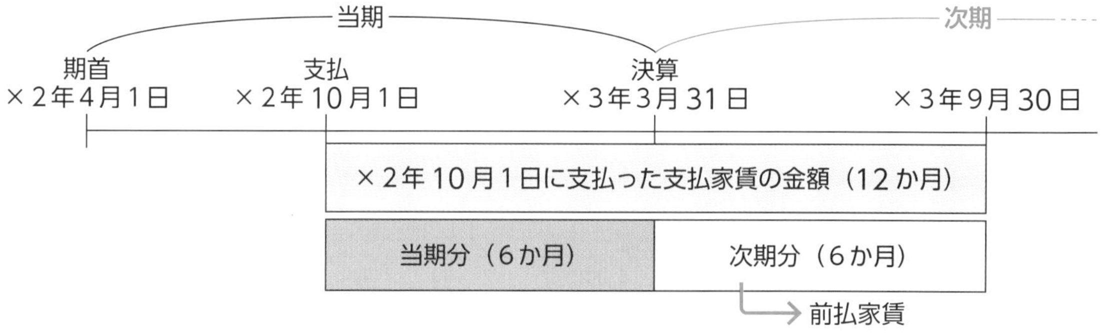

3. 収益の前受け

当期において受け取った収益の額に次期以降の分が含まれているときは、これを当期の収益から差し引かなければなりません。このことを**収益の前受け**といいます。

収益として受け取った額のうち、次期以降の収益となる額（前受分）は、決算時に収益の勘定から差し引いて、**前受収益の勘定（負債）**へ振り替えます（決算整理仕訳）。たとえば、前受利息勘定は、本来次期に受け取るべき利息を当期に受け取ったことになるため、負債となります。

例：×2年3月31日　決算において、×1年12月1日に受け取っていた貸付金に対する1年分の利息240円のうち、未経過の8か月分を前受分として処理する。

（受　取　利　息）	160	（前　受　利　息）	160*

＊　240円×$\frac{8\text{か月}}{12\text{か月}}$＝160円

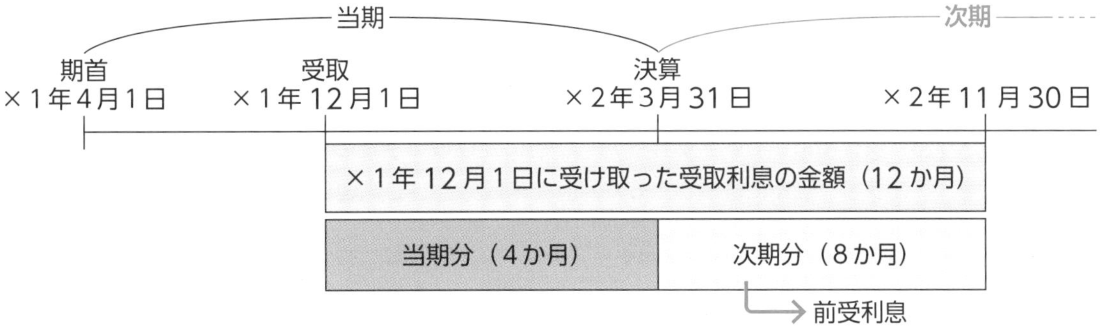

4. 費用の未払い

当期において、すでに発生している費用を、契約によりまだ支払っていないときは、これを当期の費用としなければなりません。このことを**費用の未払い**といいます。

当期の費用としてすでに発生していて、まだ支払っていないので未計上となっている費用（未払分）は、費用の勘定の借方と**未払費用の勘定**（**負債**）の貸方に記入します（決算整理仕訳）。たとえば、未払利息は次期に支払わなければならない義務なので、負債となります。

例：×4年3月31日　決算において、×5年1月31日に支払い予定の借入金に対する1年分の利息600円のうち、当期に経過した2か月分を未払分として処理する。

（支払利息）	100	（未払利息）	100*

＊　$600円 \times \frac{2か月}{12か月} = 100円$

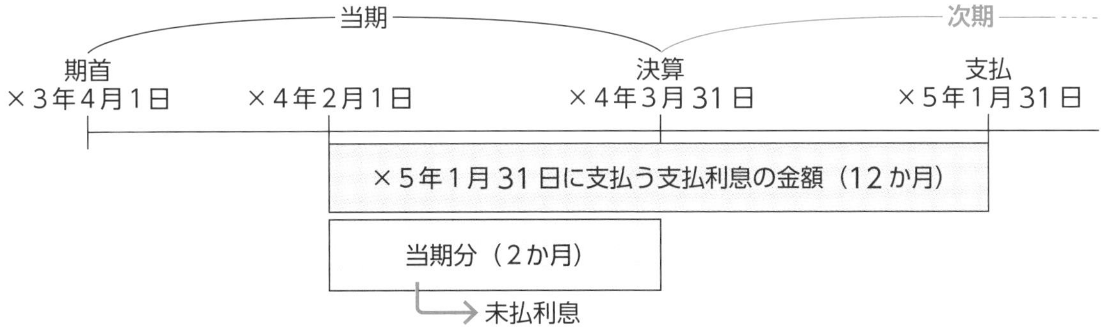

つまずきポイント～未払利息と未払費用の違い

未払利息は未払費用の一種です。

未払費用には、他に未払家賃や未払保険料などがあります。問題文の資料や答案用紙を確認し、解答に用いられる勘定科目を判断しましょう。

ちょっと整理　**経過勘定の翌期首の会計処理**

期末に未収・未払や前払・前受の会計処理を行った場合、翌期首に再振替仕訳として、期末に行った会計処理と逆の仕訳をします。問題文の資料に未収・未払や前払・前受のデータがあるときは注意しましょう。

5. 収益の未収

当期において、すでに発生している収益を、契約によりまだ受け取っていないときは、これを当期の収益としなければなりません。このことを**収益の未収**といいます。

当期の収益としてすでに発生していて、まだ受け取っていないので未計上となっている収益（未収分）は、決算時に**未収収益の勘定（資産）**の借方と収益の勘定の貸方に記入します（決算整理仕訳）。たとえば、未収利息は、次期に利息を受け取る権利なので、資産となります。

例：×２年３月31日　決算において、×２年９月30日に受け取る予定の貸付金に対する１年分の利息480円のうち、当期に経過した６か月分を未収分として処理する。

（未　収　利　息）	240	（受　取　利　息）	240*

＊　$480円 \times \frac{6か月}{12か月} = 240円$

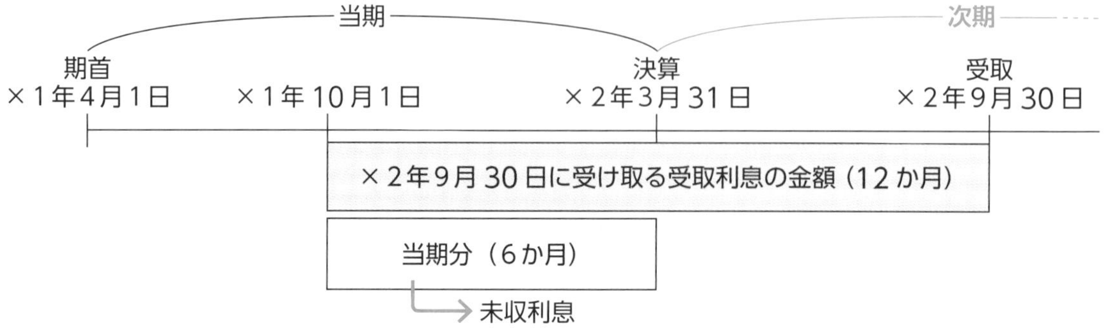

6. 再振替仕訳

前期から繰り越された経過勘定は、期首の日付で、元の収益や費用の勘定科目に振り替えます。たとえば、未収利息の場合は、期首に再振替仕訳を行うと、受取利息の借方に記入されます。後日、利息の受け取りが行われたときに、受取額に含まれている前期分を減算する処理を行っていることになります。

例：×２年４月１日　期首において、前期より繰り越された未収利息240円について再振替仕訳を行う。

（受　取　利　息）	240	（未　収　利　息）	240

7. 値上げがある場合（または値下げがある場合）

経過勘定の問題において、当期に受け渡しを行った金額が、前期に受け渡しを行った金額から値上げ（または値下げ）をしている場合があります。この場合には、前期末の決算整理の内容等から金額を推定する必要があります。

値上げの場合で考えると、前期に受け渡しを行った金額のうち当期に属する分の金額（再振替仕訳の金額）から、月割計算により値上げ前の１か月あたりの金額を求めます。そして、その金額に値上げ分を含める計算を行い、値上げ後の１か月あたりの金額を求めます。そして、当期受け渡し分の月数を掛けることにより、値上げ後の当期の受け渡しの金額が判明します。

例：当社（決算日３月31日）は毎期７月１日に地代１年分を前払いしている。
前期末に計上した前払地代について、当期首に行われた再振替仕訳は次の通りである。

（支　払　地　代）	300	（前　払　地　代）	300

当期７月１日の地代支払額は10%値上がりしている。当期末に前払計上すべき金額を求めなさい。

① 300円÷３か月＝100円（値上げ前の１か月あたりの金額）

② （100円×12か月×110%）÷12か月＝110円（値上げ後の１か月あたりの金額）
　当期７月１日の地代支払額

③ 110円×３か月＝**330円**（当期末に前払計上すべき金額）

（前　払　地　代）	330	（支　払　地　代）	330

例　題

次の【資料】にもとづいて、当期（×２年４月１日～×３年３月31日）における答案用紙の受取利息に関する各勘定の空欄にあてはまる適切な語句または金額を答えなさい（次期の開始記入も含む）。

なお、利息の受け払いはすべて現金によって行われており、利息計算はすべて月割計算により行うものとする。

【資　料】

前期の×１年６月１日に、取引先に対して¥6,000（期間２年、利率は年２％、利払日は５月末日）を貸し付けた。

受　取　利　息

4／1	[　　　　]	(　　　)	5／31	[　　　　]	(　　　)
3／31	[　　　　]	(　　　)	3／31	[　　　　]	(　　　)
		(　　　)			(　　　)

未　収　利　息

4／1	[　　　　]	100	4／1	[　　　　]	(　　　)
3／31	[　　　　]	(　　　)	3／31	[　　　　]	(　　　)
		(　　　)			(　　　)
4／1	[　　　　]	(　　　)			

解　答

受　取　利　息

4／1	[未　収　利　息]	(　100　)	5／31	[現　　　　金]	(　120　)
3／31	[損　　　　益]	(　120　)	3／31	[未　収　利　息]	(　100　)
		(　220　)			(　220　)

未　収　利　息

4／1	[前　期　繰　越]	100	4／1	[受　取　利　息]	(　100　)
3／31	[受　取　利　息]	(　100　)	3／31	[次　期　繰　越]	(　100　)
		(　200　)			(　200　)
4／1	[前　期　繰　越]	(　100　)			

解答の手順

答案用紙の各勘定を確認して、日付ごとの仕訳がどこに記入されるかを考えます。

①　×２年３月31日　決算整理仕訳

前期の×１年６月１日に現金を貸し付けているので、前期末の決算整理仕訳において、受取利息の10か月分（×１年６月１日～×２年３月31日）を前期の収益として計上しています。

したがって、未収利息勘定の借方に記載された100円は、前期末に行われた未収利息勘定の前期繰越高であることがわかります。

（未　収　利　息）	100*	（受　取　利　息）	100

＊　$6{,}000\text{円} \times 2\% \times \dfrac{10\text{か月（×１年６月１日～×２年３月31日）}}{12\text{か月（×１年６月１日～×２年５月31日）}} = 100\text{円}$

②　×２年４月１日　再振替仕訳

前期末に行われた未収利息に関する決算整理仕訳は、当期首に再振替仕訳（①の逆仕訳）を行って、元の収益の勘定に戻します。なお、決算振替仕訳により、受取利息は損益勘定に、未収利息は次期に繰り越しています。

(受取利息)	100	(未収利息)	100

③ ×2年5月31日 利息の受け取り

×2年5月31日に1年分の利息を受け取った仕訳を行います。

(現金)	120*	(受取利息)	120

* 6,000円×2%＝120円

④ ×3年3月31日 決算整理仕訳

×2年6月1日から×3年3月31日までの10か月分の利息は、当期中に受け取っていませんが、当期に発生した収益となります。そのため、受取利息10か月分を当期の受取利息に計上し、同額を未収利息として計上します。

(未収利息)	100*	(受取利息)	100

* 6,000円×2%×10か月(×2年6月1日～×3年3月31日) / 12か月(×2年6月1日～×3年5月31日)＝100円

⑤ ×3年3月31日 決算振替仕訳

決算整理後の受取利息勘定の貸方残高120円を、損益勘定へ振り替える仕訳を行い、受取利息勘定を締め切ります。

(受取利息)	120	(損益)	120

受取利息

4/1	[未収利息]	(100)	5/31	[現金]	(120)
3/31	[損益]	(**120**)	3/31	[未収利息]	(100)
		(**220**)			(**220**)

⑥ ×3年3月31日 未収利息勘定の締め切り

決算整理後の未収利息勘定の残高が借方に100円生じているので、貸方に「次期繰越」と記入し、借方と貸方の合計金額を一致させて締め切ります。なお、仕訳は不要です。

また、翌期首の日付で借方に「前期繰越」と記入して、残高100円を借方に戻します。

未収利息

4/1	[前期繰越]	100	4/1	[受取利息]	(100)
3/31	[受取利息]	(100)	3/31	[**次期繰越**]	(**100**)
		(**200**)			(**200**)
4/1	[**前期繰越**]	(**100**)			

06 剰余金の配当と当期純利益の振り替え

1. 利益剰余金の配当と処分

株式会社は、決算において当期純利益を計上すると、その使い道(配当または処分)を株主総会で決めます。これを**利益剰余金の配当と処分**といいます。

利益剰余金の配当とは、株主に利益を分配することで現金を支出することをいい、会社の財産が社外に流出することになります。また、**利益剰余金の処分**とは、利益準備金などを積み立てることをいい、会社の財産を社内に留保することになります。

なお、株主総会の段階では、株主に配当金を支払ったわけではありません。そのため、**繰越利益剰余金勘定**(**資本**)

から**未払配当金勘定（負債）**の貸方に配当額を振り替えます。

例：×1年6月30日　第1期の株主総会において、繰越利益剰余金300円を配当することが確定した。

（繰越利益剰余金）	300	（未払配当金）	300

2. 当期純利益の繰越利益剰余金への振り替え

損益勘定の貸方にすべての収益、借方にすべての費用を記入すると、貸借差額から当期純利益（または当期純損失）が計算できます。株式会社では、当期純利益（または当期純損失）を繰越利益剰余金に振り替えます。

例：×2年3月31日　決算において、当期純利益200円を計上した。

（損　　益）	200	（繰越利益剰余金）	200

損　　益

3／31	諸費用	700	3／31	諸収益	1,200
〃	法人税、住民税及び事業税	300			
〃	**繰越利益剰余金**	**200**			
		1,200			1,200

繰越利益剰余金

6／30	未払配当金	300	4／1	前期繰越	700
3／31	次期繰越	600	**3／31**	**損益**	**200**
		900			900

例　題

下記の【取引】にもとづいて、当期（×3年4月1日～×4年3月31日）における3つの勘定の空欄にあてはまる適切な語句または金額を答えなさい。

勘定記入にあたっては、摘要および金額を取引順に記入しなさい。

【取　引】

×3年6月30日　株主総会において、繰越利益剰余金から¥50,000の配当を行う旨を決議した。なお、利益準備金の積み立ては考慮しないものとする。

×4年3月31日　決算において勘定の締め切りを行った。収益・費用の各勘定残高は、答案用紙に示されているとおりである。

損　　益

3／31	売上原価	200,000	3／31	売上	500,000
〃	法人税、住民税及び事業税	120,000	〃	受取手数料	100,000
〃	[　　　]	(　　　)			
		(　　　)			(　　　)

繰越利益剰余金

6／30	[　　　]	(　　　)	4／1	前期繰越	150,000
3／31	次期繰越	(　　　)	3／31	[　　　]	(　　　)
		(　　　)			(　　　)

未払配当金

3／31	[　　　]	(　　　)	6／30	[　　　]	(　　　)

解　答

損　　　益

3/31	売上原価	200,000	3/31	売　　上	500,000
〃	法人税、住民税及び事業税	120,000	〃	受取手数料	100,000
〃	[繰越利益剰余金]	(**280,000**)			
		(**600,000**)			(**600,000**)

繰越利益剰余金

6/30	[**未払配当金**]	(**50,000**)	4/1	前期繰越	150,000
3/31	次期繰越	(**380,000**)	3/31	[**損　　益**]	(**280,000**)
		(**430,000**)			(**430,000**)

未払配当金

3/31	[**次期繰越**]	(**50,000**)	6/30	[**繰越利益剰余金**]	(**50,000**)

解答の手順

答案用紙の各勘定を確認して、日付ごとの仕訳がどこに記入されるかを考えます。

①　×3年6月30日　剰余金の配当

決定された配当金の支払額を未払配当金に計上します。

（繰越利益剰余金）	50,000	（未払配当金）	50,000

②　×4年3月31日　損益の振り替え（決算整理仕訳）

決算時点の損益勘定の差額を繰越利益剰余金に振り替えます。

（損　　益）	280,000*	（繰越利益剰余金）	280,000

＊　収益：500,000円＋100,000円＝600,000円
　　　　　売上　　　受取手数料
　　費用：200,000円＋120,000円＝320,000円
　　　　　売上原価　法人税、住民税及び事業税
　　　　　600,000円－320,000円＝280,000円

③　×4年3月31日　各勘定の締め切り（決算振替仕訳）

資産と負債の勘定については、残高の相手勘定を「次期繰越」として記入し、借方と貸方の合計金額を一致させて締め切ります。なお、仕訳は不要です。

損　　　益

3/31	売上原価	200,000	3/31	売　　上	500,000
〃	法人税、住民税及び事業税	120,000	〃	受取手数料	100,000
〃	[繰越利益剰余金]	(280,000)			
		(**600,000**)			(**600,000**)

繰越利益剰余金

6/30	[未払配当金]	(50,000)	4/1	前期繰越	150,000
3/31	次期繰越	(380,000)	3/31	[損　　益]	(280,000)
		(**430,000**)			(**430,000**)

未払配当金

3/31	[**次期繰越**]	(**50,000**)	6/30	[繰越利益剰余金]	(50,000)

07 法人税、住民税及び事業税

1. 法人税、住民税及び事業税

会社の利益には法人税が課税されます。また、住民税や事業税は地方公共団体から課税されますが、それぞれ法人税に準じて行われるので、簿記では、**法人税、住民税及び事業税**（または**法人税等**）**勘定**（**費用**）としてまとめて処理します。

〈法人税の仕組み〉

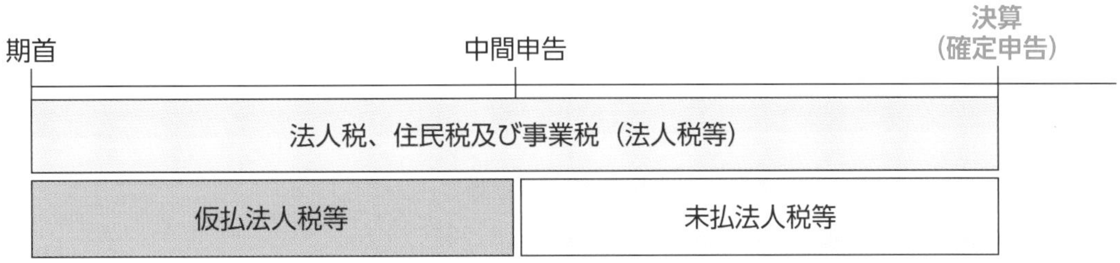

2. 中間申告時の仕訳

年1回決算の会社は、半年分の概算額として、法人税、住民税及び事業税の一部を仮払いします。

これを**中間申告**といい、中間申告によって納付した法人税額は、**仮払法人税等勘定**（**資産**）として処理します。

例：×4年10月31日　法人税等の中間申告を行い、500円を現金で支払った。

（仮払法人税等）	500	（現　　　金）	500

3. 決算時の仕訳

収益から費用を差し引いて算定した税引前当期純利益にもとづいて、法人税、住民税及び事業税を計上します。法人税、住民税及び事業税から中間申告で計上していた仮払法人税等を除いた残額を**未払法人税等勘定**（**負債**）として処理します。

例：×5年3月31日　決算において、今年度の法人税、住民税及び事業税が800円と確定した。中間納付額500円を控除した金額を未払分として計上した。

（法人税、住民税及び事業税）	800	（仮払法人税等）	500
		（未払法人税等）	300*

＊　貸借差額

4. 納付時の仕訳

決算日から2か月以内に法人税、住民税及び事業税を申告し、未払法人税等を納付します。これを**確定申告**といいます。

例：×5年4月30日　法人税について確定申告を行い、未払分として300円を現金で支払った。

（未払法人税等）	300	（現　　　金）	300

例　題

下記の【取引】にもとづいて、当期（×２年４月１日～×３年３月31日）における法人税等に関連した答案用紙の４つの勘定の空欄に当てはまる適切な語句または金額を答えなさい。

勘定記入にあたっては、摘要および金額を取引順に記入しなさい。

【取　引】

×２年10月31日　普通預金口座から￥1,500を中間納付した。

×３年３月31日　決算に際し、確定した税引前当期純利益について法人税、住民税及び事業税が￥2,900と計算された。なお、この金額から中間納付額を差し引いた金額を未払分として計上した。

仮払法人税等

10／31	[　　　　]	(　　　)	3／31	[　　　　]	(　　　)

未払法人税等

3／31	次期繰越	(　　　)	3／31	[　　　　]	(　　　)

法人税、住民税及び事業税

3／31	[　　　　]	(　　　)	3／31	損　　益	(　　　)

損　　益

3／31	売上原価	3,000	3／31	売　　上	7,000
〃	法人税、住民税及び事業税	(　　　)			
〃	繰越利益剰余金	(　　　)			
		(　　　)			(　　　)

解　答

仮払法人税等

10／31	[普通預金]	(**1,500**)	3／31	[法人税、住民税及び事業税]	(**1,500**)

未払法人税等

3／31	次期繰越	(**1,400**)	3／31	[法人税、住民税及び事業税]	(**1,400**)

法人税、住民税及び事業税

3／31	[**諸　　口**]	(**2,900**)	3／31	損　　益	(**2,900**)

損　　益

3／31	売上原価	3,000	3／31	売　　上	7,000
〃	法人税、住民税及び事業税	(**2,900**)			
〃	繰越利益剰余金	(**1,100**)			
		(**7,000**)			(**7,000**)

解答の手順

答案用紙の各勘定を確認して、日付ごとの仕訳がどこに記入されるか考えます。

① ×2年10月31日　中間納付

中間納付額を仮払法人税等として計上します。

(仮払法人税等)	1,500	(普通預金)	1,500

② ×3年3月31日　決算時

確定した法人税、住民税及び事業税の金額のうち、未納部分を未払法人税等として計上します。

(法人税、住民税及び事業税)	2,900	(仮払法人税等)	1,500
		(未払法人税等)	1,400*

* 2,900円（法人税、住民税及び事業税）− 1,500円（仮払法人税等）= 1,400円

③ ×3年3月31日　損益への振り替え（決算整理仕訳）

法人税、住民税及び事業税勘定の残高2,900円を、損益勘定へ振り替えます。

(損益)	2,900	(法人税、住民税及び事業税)	2,900

損益勘定の差額を、繰越利益剰余金へ振り替えます。

(損益)	1,100*	(繰越利益剰余金)	1,100

* 7,000円（売上）− 3,000円（売上原価）− 2,900円（法人税、住民税及び事業税）= 1,100円

④ ×3年3月31日　各勘定の締め切り（決算振替仕訳）

振り替えを行ったら、最後に各勘定を締め切ります。

仮払法人税等

10/31	[普通預金]	(1,500)	3/31	[法人税、住民税及び事業税]	(1,500)

未払法人税等

3/31	次期繰越	(1,400)	3/31	[法人税、住民税及び事業税]	(1,400)

法人税、住民税及び事業税

3/31	[諸口]	(2,900)	3/31	損益	(2,900)

損益

3/31	売上原価	3,000	3/31	売上	7,000
〃	法人税、住民税及び事業税	(2,900)			
〃	繰越利益剰余金	(1,100)			
		(**7,000**)			(**7,000**)

08 消費税

1. 消費税

消費税は商品の購入やサービスの提供を受ける際に課税される税金です。

2. 仕入時と売上時の仕訳

商品を仕入れた時は、消費税分を**仮払消費税勘定（資産）**として計上します。なお、消費税分を仕入れや売上げに含めない処理を**税抜方式**といいます。

例：×3年10月6日　商品1,000円を仕入れ、代金は現金で支払った。なお、消費税率は10%である。

（仕　　　　入）	1,000	（現　　　　金）	1,100
（仮 払 消 費 税）	100*		

＊　1,000円×10%＝100円
　　仕入（商品の本体価格）　消費税率

商品を売り上げた時は、消費税分を**仮受消費税勘定（負債）**として計上します。

例：×3年11月15日　商品を3,000円で販売し、代金は現金で受け取った。なお、消費税率は10%である。

（現　　　　金）	3,300	（売　　　　上）	3,000
		（仮 受 消 費 税）	300*

＊　3,000円×10%＝300円
　　売上（商品の本体価格）　消費税率

3. 決算時の仕訳

決算時に、預かった消費税額である仮受消費税から支払った消費税額である仮払消費税を差し引いた差額を納税額として、**未払消費税勘定（負債）**で処理します。確定した消費税額は、翌期首から２か月以内に納付し、未払消費税を減少させます。

例：×4年3月31日　決算において、消費税の仮払分100円と仮受分300円を相殺し、納付額を確定する。

（仮 受 消 費 税）	300	（仮 払 消 費 税）	100
		（未 払 消 費 税）	200*

＊　貸借差額

例　題

下記の【取引】にもとづいて、当期（×２年４月１日から×３年３月31日）における消費税に関連した答案用紙の２つの勘定の空欄にあてはまる適切な語句または金額を答えなさい。なお、当社は税抜方式を採用している。

勘定記入にあたっては、摘要および金額を取引順に記入しなさい。

【取　引】
×３年２月１日　本体価格￥900の商品を売り上げ、代金は10%の消費税を含めて現金で受け取った。
×３年３月31日　本日決算につき、確定申告において納付する消費税額を未払計上する。

仮 受 消 費 税

3 / 31	[　　　　]	(　　　)	2 / 1	[　　　　]	(　　　)

未 払 消 費 税

3 / 31	次 期 繰 越	(　　　)	3 / 31	[　　　　]	(　　　)

解　答

仮受消費税

3 / 31	[未払消費税]	(90)	2 / 1	[現　　　金]	(90)

未払消費税

3 / 31	次期繰越	(90)	3 / 31	[仮受消費税]	(90)

解答の手順

答案用紙の各勘定を確認して、日付ごとの仕訳がどこに記入されるかを考えます。

① ×3年2月1日　売上

商品の売上にともない、受け取った消費税分を仮受消費税勘定（負債）で処理します。

（現　　　金）	990	（売　　　上）	900
		（仮受消費税）	90*

＊ 900円× 10% = 90円

② ×3年3月31日　決算整理仕訳

仮受消費税勘定から未払消費税勘定（負債）へ振り替えます。なお、未払消費税勘定の残高は次期に繰り越します（仕訳は不要です）。

（仮受消費税）	90	（未払消費税）	90

仮受消費税

3 / 31	[未払消費税]	(90)	2 / 1	[現　　　金]	(90)

未払消費税

3 / 31	次期繰越	(90)	3 / 31	[仮受消費税]	(90)

第2問対策

2 補助簿に関する問題

01 補助簿とは

1. 主要簿と補助簿

期中の取引を仕訳として記録する**仕訳帳**や、勘定科目ごとに設けられた勘定口座をひとつにまとめた帳簿である**総勘定元帳**といった最低限必要な帳簿を総称して「**主要簿**」といいます。一方、取引の相手先や、取引の条件、詳細な内訳などの記録を行う場合に任意に設ける帳簿のことを「**補助簿**」といいます。

2. 補助簿の種類

補助簿は、特定の取引について明細を記録する**補助記入帳**と、特定の勘定について記録する**補助元帳**に分けられます。一つの取引がさまざまな帳簿に記録されることを確認しましょう。

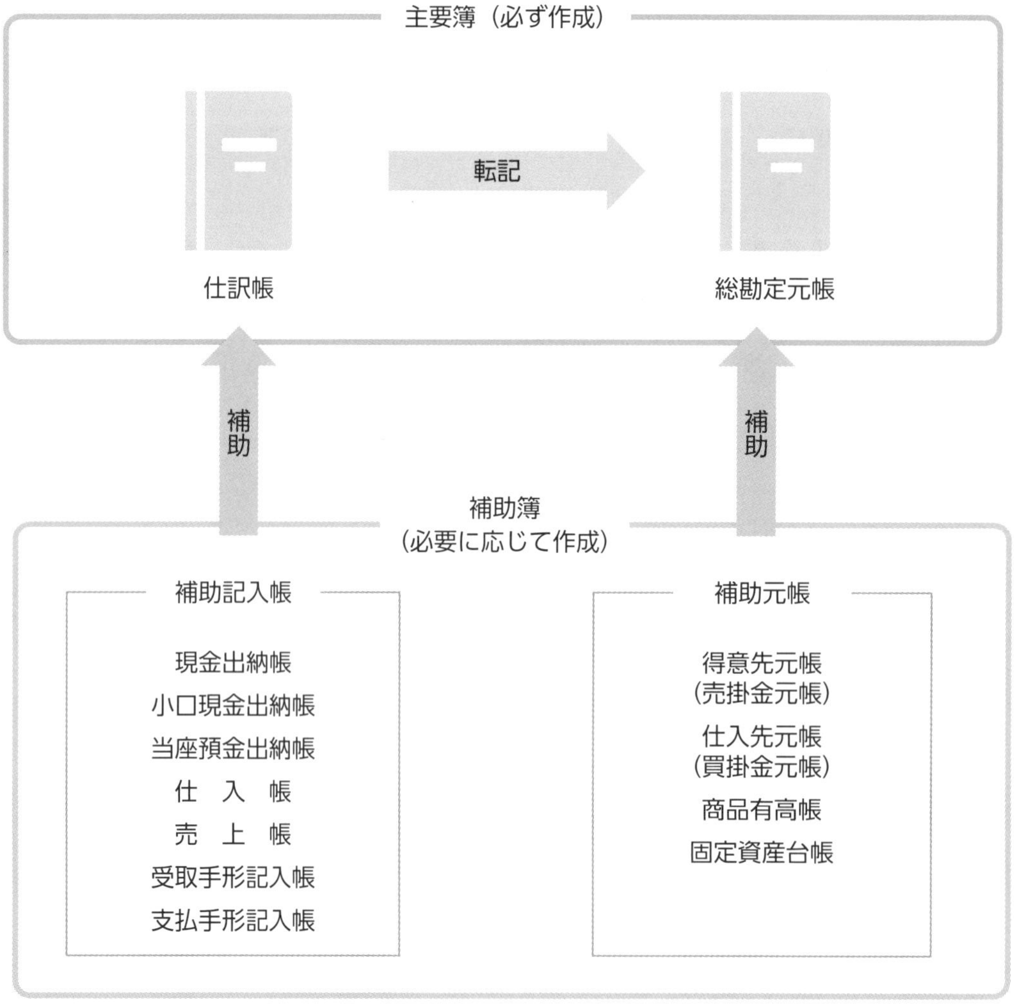

3. 補助簿と勘定科目の関係

勘定科目（総勘定元帳）と補助簿の関係は以下のようになります。

勘定科目	補助記入帳	補助元帳
現金	現金出納帳	
小口現金	小口現金出納帳	
当座預金	当座預金出納帳	
受取手形	受取手形記入帳	
支払手形	支払手形記入帳	
売掛金		得意先元帳
買掛金		仕入先元帳
売上	売上帳	商品有高帳
仕入	仕入帳	商品有高帳
建物		固定資産台帳
土地		固定資産台帳
車両運搬具		固定資産台帳
備品		固定資産台帳

02 得意先元帳（売掛金元帳）

1. 得意先元帳（売掛金元帳）

得意先元帳（売掛金元帳）は、売掛金が増減する取引について、得意先ごとに増減の明細を記録する補助元帳です。さまざまな形式がありますが、本書では「残高式」の記入例を示します。

2. 得意先元帳（売掛金元帳）への記入

次の取引を、得意先元帳（売掛金元帳）へ記入すると以下のようになります。

例：7月5日　山口株式会社へ商品500円を掛けで売り上げた。

（売　掛　金）	500	（売　　上）	500

得　意　先　元　帳
山口株式会社

❸

×1年		摘　要	借　方	貸　方	借または貸	残　高
7	1	前　月　繰　越	1,000		借	1,000
	5	売　　上	500		〃	1,500

❶　❷　❹

❶ 概要欄には、取引の内容を簡潔に記入します。
❷ 売掛金の増加分は借方欄、減少分は貸方欄に金額を記入します。
❸ 借または貸欄には、残高が借方にあるか貸方にあるかの区別を記入します。
売掛金は資産なので、得意先元帳の残高は「借」になります。
❹ 残高欄には、取引後の残高を記入します。

03 仕入先元帳（買掛金元帳）

1. 仕入先元帳（買掛金元帳）

仕入先元帳（買掛金元帳）は、買掛金が増減する取引について、仕入先ごとに増減の明細を記録する補助元帳です。さまざまな形式がありますが、本書では「残高式」の記入例を示します。

2. 仕入先元帳（買掛金元帳）への記入

次の取引を、仕入先元帳（買掛金元帳）へ記入すると以下のようになります。

例：7月9日　福岡株式会社から商品750円を掛けで仕入れた。

（仕　　入）	750	（買　掛　金）	750

仕　入　先　元　帳
福岡株式会社

❸

×1年		摘　要	借　方	貸　方	借または貸	残　高
7	1	前　月　繰　越		2,000	貸	2,000
	9	仕　　入		750	〃	2,750

❶　❷　❹

❶ 概要欄には、取引の内容を簡潔に記入します。
❷ 買掛金の増加分は貸方欄、減少分は借方欄に金額を記入します。
❸ 借または貸欄には、残高が借方にあるか貸方にあるかの区別を記入します。
買掛金は負債なので、仕入先元帳の残高は「貸」になります。
❹ 残高欄には、取引後の残高を記入します。

つまずきポイント～
得意先元帳・仕入先元帳の「借／貸欄」の書き方は？
たとえば、売掛金を回収したとき、「借／貸欄」は貸方にならないの？

貸方にはなりません。

あくまで、「借／貸欄」に記載するのは、取引後の残高が借方の方が多い（借方残高）か、貸方の方が多い（貸方残高）かによります。

借方残高なら、「借」、貸方残高なら、「貸」となります。

売掛金はつねに借方残高なので、売掛金を回収したときでも「借」となります。

ちょっと整理 得意先元帳と仕入先元帳

●得意先元帳
得意先ごとに売掛金の状況を記録する補助簿のことです。売掛金元帳とも呼ばれています。

●仕入先元帳
仕入先ごとに買掛金の状況を記録する補助簿のことです。買掛金元帳とも呼ばれています。

04 商品有高帳

1. 商品有高帳

商品有高帳は商品の種類ごとに、受け入れ・払い出しのつど、数量・単価・金額を記入し、原価で商品の増減や残高の内訳明細を記録する補助元帳です。

2. 先入先出法

先入先出法とは、先に受け入れたものから順に払い出すものと仮定して、払出単価を決定する方法です。単価の異なる商品を受け入れた場合は、それらを区別して記入します。

3. 商品有高帳（先入先出法）への記入

次の取引を、商品有高帳（先入先出法）へ記入すると以下のようになります。

例：6月7日　1個あたり10円のA商品を現金で20個仕入れた。

（仕　　入）	200*	（現　　金）	200

＊　10円×20個＝200円

6月28日　A商品30個を1個あたり30円で現金により販売した。

（現　　金）	900	（売　　上）	900*

＊　30円×30個＝900円

商品有高帳

（先入先出法）

（品名）A商品

×1年		摘要	受入 数量	受入 単価	受入 金額	払出 数量	払出 単価	払出 金額	残高 数量	残高 単価	残高 金額
6	1	前月繰越	20	20	400				20	20	400
	7	仕入	20	10	200				20	20	400
									20	10	200
	28	売上				20	20	400			
						10	10	100	10	10	100

❶ 商品を仕入れたときは、受入欄に記入します。
❷ 先入先出法では異なる仕入単価を区別して記入します。
❸ 商品を売り上げたときは、**払出欄に原価で記入**します。28日の売上（30個の払い出し）では、先に仕入れていた単価20円（前月繰越分）のA商品20個から払い出し、残りの10個は後から仕入れた単価10円（6月7日仕入分）のA商品から払い出します。この売り上げた商品の原価が**売上原価**となります。
❹ 在庫を残高欄に記入します。

4. 移動平均法

移動平均法とは、単価の異なる商品を受け入れたつど、以下の算式で平均単価を計算して、それを次の払出単価とする方法です。

$$\text{平均単価} = \frac{\text{残高金額}+\text{受入金額}}{\text{残高数量}+\text{受入数量}}$$

5. 商品有高帳（移動平均法）への記入

次の取引を、商品有高帳（移動平均法）へ記入すると以下のようになります。

例：6月7日　1個あたり10円のA商品を現金で20個仕入れた。

（仕　　入）	200*	（現　　金）	200

＊　10円×20個＝200円

6月28日　A商品30個を1個あたり30円で現金により販売した。

（現　　金）	900	（売　　上）	900*

＊　30円×30個＝900円

商品有高帳

（移動平均法）　　　　（品名）A商品

×1年		摘要	受入			払出			残高			
			数量	単価	金額	数量	単価	金額	数量	単価	金額	
6	1	前月繰越	20	20	400				20	20	400	
	7	仕入	20	10	200				40	15	600	❷
	28	売上		❶		30	15	450	10	15	150	❹

❸

❶ 商品を仕入れたときは、受入欄に記入します。

❷ 単価の異なる商品を受け入れたときは、平均単価を計算して残高欄に記入します。

$$\frac{400\text{円}+200\text{円}}{20\text{個}+20\text{個}}=15\text{円（6月7日以降の平均単価）}$$

❸ 商品を売り上げたときは、**払出欄に原価で記入**します。28日の売上（30個の払い出し）では平均単価15円を使用して売上原価を計算します。

❹ 在庫を残高欄に記入します。

05 小口現金出納帳

1. 小口現金

会社は、切手やハガキ、文房具、交通費など少額の支払いのために、手許にある程度の現金を用意しています。このような現金のことを**小口現金**といいます。

2. 定額資金前渡制（インプレスト・システム）

小口現金の管理には、通常、一定期間に管理する小口現金の金額を決めておく方法がとられます。この方法を**定額資金前渡制（インプレスト・システム）**といいます。小口現金の管理は**用度係**（小口現金の保管・支払いをする人）が行い、仕訳は**会計係**が行います。

3. 小口現金の仕訳

会計係が仕訳を行うため、会計係が把握できていない用度係の行動は仕訳しません。

例：9月5日　会計係は小口現金の管理にインプレスト・システム（定額資金前渡制）を採用し、小切手2,000円を振り出して用度係に前渡しした。

（小口現金）	2,000	（当座預金）	2,000

9月7日　用度係はお茶代300円、切手代800円、コピー用紙代200円を小口現金で支払った。

仕訳を行う会計係は何もしていないため、仕訳なしとなります。

仕訳なし

9月9日　会計係は上記の支払いについて用度係から報告を受けた。

用度係から報告を受けた内容を仕訳します。

（雑　　費）	300	（小 口 現 金）	1,300
（通 信 費）	800		
（消 耗 品 費）	200		

9月12日　会計係は用度係に小切手 1,300 円を振り出して、小口現金を補給した。

（小 口 現 金）	1,300	（当 座 預 金）	1,300

4. 小口現金出納帳の記入

小口現金出納帳は、用度係が管理する小口現金の補給と支払いの明細を記入する補助記入帳です。**3．小口現金の仕訳**の取引を記入すると次のようになります。

小口現金出納帳

受　入	×1年		摘　要 ❷	支　払	内訳		
					通信費	消耗品費	雑費
❶ 2,000	9	5	小口現金受入			❸	
		7	お茶代	300			300
		〃	切手代	800	800		
		〃	コピー用紙代	200		200	
		❹	合計	1,300	800	200	300
	❺	9	次週繰越	700			
2,000				2,000			
❻ 700	9	12	前週繰越				
❼ 1,300		〃	本日補給				

❶　受入欄には、資金の前渡額や補給した金額を記入します。
❷　摘要欄には、小口現金の支払内容を記入します。
❸　支払欄に支払金額を記入するとともに、内訳欄には支払欄に記入した金額を各勘定科目に分けて記入します。たとえば、お茶代なら内訳欄の「雑費」にも記入します。
❹　定期的に（本例では週末）支出額の合計を計算します（ここで会計係に報告します）。
❺　受入欄の合計額から支払欄の合計額を差し引いた残額を支払欄に記入するとともに、摘要欄に「**次週繰越**」と記入します。
❻　週明けになったら、前週からの繰越額を受入欄に記入するとともに、摘要欄に「**前週繰越**」と記入します。
❼　週明けに補給する場合、受入欄に補給した金額（前週に使った金額）を記入します。

5. 小口現金の仕訳（支払い報告と補給が同時のとき）

支払いの報告と小口現金の補給が同時に行われた場合は、小口現金勘定の増減記録を省略することができます。

例：9月7日　会計係は、用度係からお茶代300円、切手代800円、コピー用紙代200円を小口現金で支払ったと報告を受けたので、ただちに小切手を振り出して小口現金を補給した。

（雑　　費）	300	（当座預金）	1,300
（通　信　費）	800		
（消耗品費）	200		

06 当座預金出納帳

1. 当座預金出納帳

当座預金出納帳とは、仕訳に当座預金勘定を用いたときに、「どのように支払われたのか」「何の代金を預け入れたのか」「誰からの入金か」「誰に支払ったのか」など、当座預金取引の明細を記録する補助記入帳です。

2. 当座預金出納帳への記入

次の取引を、当座預金出納帳へ記入すると以下のようになります。

例：10月5日　横浜株式会社に対する売掛金20円が当社の当座預金口座に振り込まれた。

（当座預金）	20	（売　掛　金）	20

10月15日　川崎株式会社に対する買掛金15円を小切手を振り出して支払った。

（買　掛　金）	15	（当座預金）	15

当座預金出納帳

×1年		摘要	預入	引出	借/貸	残高
10	1	前月繰越	40		借	40
	5	横浜株式会社より売掛金回収	20		〃	60
	15	川崎株式会社へ買掛金支払い		15	〃	45
		❶	❷		❸	❹

❶ 概要欄には、取引の内容を簡潔に記入します。
❷ 当座預金の増加分は預入欄、減少分は引出欄に金額を記入します。
❸ 借または貸欄には、残高が借方にあるか貸方にあるかの区別を記入します。
なお、貸方残高である場合は当座借越が発生していることを示しています。
❹ 残高欄には、取引後の残高を記入します。

07 固定資産台帳

1. 固定資産台帳

土地や建物、備品などの有形固定資産を種類別に記録して管理するために作成する帳簿を**固定資産台帳**といい、固定資産の取得から減価償却、売却に至るまでの経緯を資産ごとに記録します。

2. 固定資産台帳への記入

次の資産を、固定資産台帳へ記入すると以下のようになります。

例：備品甲（取得日：×5年4月1日、取得原価 500 円、個数1個、耐用年数5年）
　　備品乙（取得日：×6年4月1日、取得原価 800 円、個数2個、耐用年数8年）
　　備品丙（取得日：×7年4月1日、取得原価 1,000 円、個数3個、耐用年数4年）

固定資産台帳　　×8年3月31日現在

取得年月日	名称等	期末数量	耐用年数	期首(期中取得)取得原価	期首減価償却累計額	差引期首（期中取得）帳簿価額	当期減価償却費
×5年4月1日	備品甲	1	5年	❷ 500	❸ 200	❹ 300	❺ 100
×6年4月1日	備品乙	2	8年	1,600	200	1,400	200
×7年4月1日	備品丙	3	4年	3,000	0	3,000	750

❶

❶ 取得した日付、名称、数量、耐用年数を記入します。
❷ 固定資産の取得原価を記入します。
❸ 当期首までに計上している減価償却累計額を記入します。
❹ 固定資産の期首時点での帳簿価額（❷－❸）を記入します。
❺ 当期の減価償却費を記入します。

08 補助簿の転記

1. 補助簿と総勘定元帳

補助簿のうち、得意先元帳（売掛金元帳）や仕入先元帳（買掛金元帳）に記入されている借方欄・貸方欄の合計金額や残高欄の金額は、対応する売掛金勘定や買掛金勘定の借方合計・貸方合計・残高と等しくなります。

本試験では、総勘定元帳と得意先元帳（売掛金元帳）や仕入先元帳（買掛金元帳）の記入内容から、空欄を解答させるような問題が出題されることがあります。

2. 補助簿と総勘定元帳の関係

たとえば、得意先元帳（売掛金元帳）と総勘定元帳の売掛金勘定の関係は、以下のようになります。

総　勘　定　元　帳

売 掛 金

5 / 1	前 月 繰 越	1,500	5 / 20	現　　　金	2,000
15	売　　　上	3,000	31	次 月 繰 越	2,500
		4,500			4,500

A社・B社の売上の合計額は、売掛金勘定の5/15の売上による増加額と一致します。

A社・B社の売掛金回収額の合計は、売掛金勘定の5/20の回収額と一致します。

得　意　先　元　帳

A　社

×1年		摘　要	借　方	貸　方	借または貸	残　高
5	1	前 月 繰 越	1,000		借	1,000
	15	売　　　上	2,000		〃	3,000
	20	回　　　収		1,200	〃	1,800
	31	次 月 繰 越		1,800		
			3,000	3,000		
6	1	前 月 繰 越	1,800		借	1,800

B　社

×1年		摘　要	借　方	貸　方	借または貸	残　高
5	1	前 月 繰 越	500		借	500
	15	売　　　上	1,000		〃	1,500
	20	回　　　収		800	〃	700
	31	次 月 繰 越		700		
			1,500	1,500		
6	1	前 月 繰 越	700		借	700

例　題

神奈川株式会社の×４年３月の取引についての【資料】をもとに、それぞれの日付の取引が、答案用紙に示されたどの補助簿に記入されるかを答えなさい。解答にあたっては、該当するすべての補助簿の欄に○印を記入し、該当する補助簿が１つもない取引は、「該当なし」の欄に○印を記入しなさい。なお、会計期間は×３年４月１日から×４年３月31日までの１年間である。

【資料】

５日　横浜工業へ商品30個を１個あたり￥100で売り渡し、代金のうち￥500は同社振出しの小切手で受け取り、残額は掛けとした。

12日　５日に横浜工業へ売り渡した商品のうち、５個が品違いであったため返品され、代金は売掛金から控除した。

23日　川崎商会から備品￥15,000を購入し、代金のうち￥10,000は現金で支払い、残額は来月末に支払うこととした。

31日　決算にあたり、横浜工業に対する売掛金￥2,000に対して３％の貸倒れを見積もることとした。なお、決算整理前の貸倒引当金の残高はない。

日付＼補助	現金出納帳	当座預金出納帳	商品有高帳	売掛金元帳	買掛金元帳	売上帳	仕入帳	固定資産台帳	該当なし
３月５日									
12日									
23日									
31日									

解　答

日付＼補助	現金出納帳	当座預金出納帳	商品有高帳	売掛金元帳	買掛金元帳	売上帳	仕入帳	固定資産台帳	該当なし
３月５日	○		○	○		○			
12日			○	○		○			
23日	○							○	
31日									○

解答の手順

×４年３月中の各取引について仕訳を行い、仕訳に使った勘定科目から記入する補助簿を判断します。仕入や売上に関する取引については商品有高帳に記入するかどうかに注意します。

①　５日　商品の売り上げ

現金出納帳 ⟵ （現　　　金）　500　（売　　　上）　3,000 ⟶ 売上帳

売掛金元帳 ⟵ （売　掛　金）　2,500*　　　　　　　　⟶ 商品有高帳

＊　貸借差額

② 12日　商品の返品

返品は商品が戻ってくるので、商品有高帳への記入が必要な点に注意しましょう。

売上帳・商品有高帳 ←	（売　　上）	500	（売　掛　金）	500	→ 売掛金元帳

③ 23日　備品の購入

固定資産台帳 ←	（備　　品）	15,000	（現　　金）	10,000	→ 現金出納帳
			（未　払　金）	5,000*	

＊　貸借差額

④ 31日　貸倒引当金の設定

該当する補助簿が1つもない取引であるため「**該当なし**」を選択します。

（貸倒引当金繰入）	60*	（貸 倒 引 当 金）	60

＊　2,000円×3％＝60円

ちょっと整理

固定資産の購入・売却・買換えと固定資産台帳

① 固定資産の購入の仕訳

固定資産台帳 ←	（固 定 資 産）	×××	（現 金 な ど）	×××	

② 固定資産の売却の仕訳

固定資産台帳 ←	（減価償却累計額）	×××	（固 定 資 産）	×××	→ 固定資産台帳
	（減 価 償 却 費）	×××			
	（現 金 な ど）	×××			

固定資産の売却の場合も、固定資産台帳への記入が必要になります。

③ 固定資産の買換えの仕訳（①+②）

固定資産台帳 ←	（固 定 資 産）	×××	（現 金 な ど）	×××	
固定資産台帳 ←	（減価償却累計額）	×××	（固 定 資 産）	×××	→ 固定資産台帳
	（減 価 償 却 費）	×××			
	（現 金 な ど）	×××			

購入と売却をまとめたものが、買換えになります。

第2問対策 3

伝票に関する問題

01 伝票と仕訳日計表

1. 伝票

伝票とは、仕訳帳の代わりに取引を記録する紙片です。伝票に記入することを「**起票する**」といいます。仕訳帳の代わりに伝票を記入することで、伝票から総勘定元帳に転記できます。

取引を入金取引、出金取引、それ以外の取引の３つに分けて、入金取引は**入金伝票**に、出金取引は**出金伝票**に、それ以外の取引は**振替伝票**に記入する方法を、**三伝票制**といいます。

2. 取引の起票

次の取引を、起票すると以下のようになります。なお、伝票には略式と日付などが書いてあるものがあります。

① 入金伝票の起票

借方の勘定科目が現金となる取引（現金が増加する取引）は、入金伝票を起票します。

例：×1年9月1日　売掛金200円を現金で回収した。

（現　　金）	200	（売　掛　金）	200

〈略式〉

入金伝票	
No.101	
売掛金	200

〈日付あり〉

入　金　伝　票 ×1年9月1日	
科　目	金　額
売　掛　金	200

② 出金伝票の起票

貸方の勘定科目が現金となる取引（現金が減少する取引）は、出金伝票を起票します。

例：×1年9月1日　買掛金100円を現金で支払った。

（買　掛　金）	100	（現　　金）	100

〈略式〉

出金伝票	
No.201	
買掛金	100

〈日付あり〉

出　金　伝　票 ×1年9月1日	
科　目	金　額
買　掛　金	100

③ 振替伝票の起票

現金が増減しない取引は、振替伝票を起票します。

例：×1年9月1日　商品200円を掛けで売り上げた。

（売　掛　金）	200	（売　　上）	200

〈略式〉

振替伝票

No.301

売掛金　　200

売　上　　200

〈日付あり〉

振　替　伝　票 ×1年9月1日			
借方科目	金額	貸方科目	金額
売掛金	200	売上	200

つまずきポイント〜

仕　入	1,000	現　金	400
		買掛金	600

という仕訳を、

振替伝票と出金伝票に記入する問題で、

【振替伝票】
仕　入　1,000　買掛金　1,000

と書かれている場合に、

【出金伝票】
仕　入　400

と書かないの？

書きません。

この場合は次のようになります。

【出金伝票】
買掛金　400

振替伝票に仕入れの全額が書かれていることから、「商品を1,000円分仕入れて買掛金で支払った」「買掛金1,000円のうち400円を現金で支払った」という2つの取引が同時にあったと仮定する方法と推定できます。

ちょっと整理　伝票：一部現金取引がある場合

一部現金取引（現金取引とそれ以外の取引が混在する場合）には、2通りの起票方法があります。

①取引を分解する方法と、②2つの取引が同時にあったと仮定する方法です。

先の質問は、②2つの取引が同時にあったと仮定する方法です。先の質問が①取引を分解する方法だった場合次のようになります。

【振替伝票】
仕　入　600　買掛金　600

【出金伝票】
仕　入　400

3. 仕訳日計表

取引を起票したあと、仕訳日計表に集計してから合計額を総勘定元帳に転記することがあります。

仕訳日計表とは、伝票に記入された1日分の取引を勘定科目ごとに集計する表をいいます。勘定科目ごとに1日分の合計金額を集計して転記するため（**合計転記**）、転記の回数を減らし、総勘定元帳への転記を効率的に行うことができます。

仕　訳　日　計　表

×1年9月1日　　1

借　方	元丁	勘定科目	元丁	貸　方
200		現　金		100
200		売掛金		200
100		買掛金		
		売　上		200
500				500

1日分の各勘定の増減を集計します。

借方と貸方の金額をそれぞれ合計し、貸借が一致するか確認します。

第2問対策

4 理論対策

01 仕訳の知識が問われるもの

01

選択肢の中で、仕訳において現金勘定として扱うのは（　　　　　　　）である。

〈選択肢〉
ア．郵便切手　イ．普通為替証書（郵便為替証書）
ウ．自己振出小切手　エ．他人振出しの約束手形
オ．自己振出しの約束手形

選択肢の中で、仕訳において現金勘定として扱うのは（イ．普通為替証書（郵便為替証書））である。

解答のPoint!

① 郵便切手→通信費（貯蔵品）、
自己振出小切手→当座預金、
他人振出しの約束手形→受取手形、
自己振出しの約束手形→支払手形

02

決算整理前の合計試算表の貸方に金額が存在することがない勘定は（　　　　）である。ただし、誤った仕訳や訂正仕訳は行っていない。

〈選択肢〉
ア．損益　イ．仕入　ウ．支払家賃　エ．現金
オ．仮払金

決算整理前の合計試算表の貸方に金額が存在することがない勘定は（ア．損益）である。ただし、誤った仕訳や訂正仕訳は行っていない。

解答のPoint!

① 損益は、決算振替仕訳を行う際に登場します。

03

小売業を営む企業の総勘定元帳の勘定科目として存在する可能性のあるものは（　　　　　　）である。

〈選択肢〉
ア．次期繰越　イ．当期純利益　ウ．現金過不足
エ．前期繰越　オ．約束手形

小売業を営む企業の総勘定元帳の勘定科目として存在する可能性のあるものは（ウ．現金過不足）である。

解答のPoint!

① 次期繰越、前期繰越は勘定科目ではありません。
② 約束手形は、支払手形や受取手形などの勘定科目となります。
③ 当期純利益は損益勘定で算定します。
④ 総勘定元帳の勘定科目は「現金過不足」です。

04

選択肢の中で、決算において貸倒引当金を設定する勘定科目は（　　　　　）である。

〈選択肢〉
ア．買掛金　イ．売掛金　ウ．売上　エ．借入金
オ．資本金

選択肢の中で、決算において、貸倒引当金を設定する勘定科目は（**イ．売掛金**）である。

解答のPoint!

① 貸倒引当金は売上債権（売掛金や受取手形など）や金銭債権（貸付金など）に設定します。

05

決算整理後の残高試算表の貸方に金額が存在することがない勘定は（　　　　）である。ただし、誤った仕訳や訂正仕訳は行っていない。

〈選択肢〉
ア．未払利息　イ．売上　ウ．前受利息
エ．現金　オ．固定資産売却益

決算整理後の残高試算表の貸方に金額が存在することがない勘定は（**エ．現金**）である。ただし、誤った仕訳や訂正仕訳は行っていない。

解答のPoint!

① 現金は資産であるため、残高は借方にしか計上されません。

06

商品を仕入れたとき、後払いする代金は買掛金として貸方に計上するが、備品や建物を購入したとき、後払いする代金は（　　　　　）として貸方に計上する。

〈選択肢〉
ア．当座預金　イ．買掛金　ウ．支払手形
エ．未払金　オ．未払費用

商品を仕入れたとき、後払いする代金は買掛金として貸方に計上するが、備品や建物を購入したとき、後払いする代金は（**エ．未払金**）として貸方に計上する。

解答のPoint!

① 建物や備品など商品以外のものを代金後払いで買ったときの、あとで支払わなければならない義務は「未払金」です。

07

仕入時の引取運賃を当社が負担する場合は、借方に（　　　　）として計上する。

〈選択肢〉
ア．立替金　イ．仕入　ウ．前払金　エ．仮払金
オ．雑損

仕入時の引取運賃を当社が負担する場合は、借方に（**イ．仕入**）として計上する。

解答のPoint!

① 商品を仕入れるときにかかった、運送会社に対する運賃や保険料などの費用は仕入諸掛りとして商品の仕入原価に含めます。

08

建物の増築や改築を行うなど、有形固定資産の価値の増加や使用可能年数が延長されるような支出のことを（　　　　　　）という。

〈選択肢〉
ア．取得原価　イ．収益的支出　ウ．資本的支出
エ．付随費用　オ．購入代価

建物の増築や改築を行うなど、有形固定資産の価値の増加や使用可能年数が延長されるような支出のことを（**ウ．資本的支出**）という。

解答のPoint!

① 有形固定資産の価値を高めるための工事（改良）にかかった支出は「資本的支出」として該当する有形固定資産の勘定科目で処理します。

02 簿記一巡の知識が問われるもの

01

簿記の取引として存在しない組み合わせは（　　　　　　）と資産の増加である。

〈選択肢〉
ア．資産の減少　イ．負債の増加
ウ．資本の減少　エ．資本の増加
オ．収益の発生

簿記の取引として存在しない組み合わせは（**ウ．資本の減少**）と資産の増加である。

解答のPoint!

① 「資産の増加」は借方に記入します。
② 選択肢のうち借方に記入するものは「ウ．資本の減少」だけです。

02

選択肢の中で、決算整理仕訳で行わないものは（　　　　　　　　　　）である。

〈選択肢〉
ア．減価償却費の計算　イ．売上原価の算定
ウ．仮払法人税等の計上　エ．法人税等の計上
オ．経過勘定の計上

選択肢の中で、決算整理仕訳で行わないものは（ウ．仮払法人税等の計上）である。

解答のPoint!

① 仮払法人税等の計上は中間申告（期中）で行います。
② 決算において法人税等の額が確定したときは、法人税等を計上し、仮払法人税等との差額を未払法人税等として計上します。

03

決算において、選択肢の中で最初に行われるものは（　　　　　　　　）である。

〈選択肢〉
ア．帳簿の締切　イ．決算振替仕訳
ウ．決算整理仕訳　エ．当期純利益の確定
オ．試算表の作成

決算において、選択肢の中で最初に行われるものは（オ．試算表の作成）である。

解答のPoint!

① 試算表の作成→決算整理仕訳→決算振替仕訳→当期純利益の確定→帳簿の締切の順番となります。

04

財務諸表のうち、会社の経営成績を表した表を（　　　　　　　）という。

〈選択肢〉
ア．精算表　イ．決算整理後残高試算表
ウ．貸借対照表　エ．損益計算書
オ．仕訳日計表

財務諸表のうち、会社の経営成績を表した表を（エ．損益計算書）という。

解答のPoint!

① 選択肢のうち財務諸表は、貸借対照表と損益計算書です。
② 貸借対照表は会社の財政状態を表し、損益計算書は会社の経営成績を表しています。

05

主要簿とは、簿記の手続きにおいて必ず作成しなければならない帳簿である。主要簿には仕訳帳と（　　　　　）がある。

〈選択肢〉

ア．補助簿　イ．補助記入帳　ウ．総勘定元帳

エ．補助元帳　オ．商品有高帳

主要簿とは、簿記の手続きにおいて必ず作成しなければならない帳簿である。主要簿には仕訳帳と（**ウ．総勘定元帳**）がある。

解答のPoint!

① 主要簿は、必ず作成しなければならない帳簿で、主要簿には仕訳帳と「総勘定元帳」があります。

03 決算整理・決算振替が問われるもの

01

帳簿の締め切りとして存在しない手続きは（　　　　　）である。

〈選択肢〉

ア．各勘定の締め切り　イ．当期純利益（または当期純損失）の繰越利益剰余金勘定への振り替え　ウ．決算整理仕訳　エ．費用の各勘定残高の損益勘定への振り替え　オ．収益の各勘定残高の損益勘定への振り替え

帳簿の締め切りとして存在しない手続きは（**ウ．決算整理仕訳**）である。

解答のPoint!

① 帳簿の締め切りの手続き

収益・費用の各勘定残高を損益勘定に振り替える

→当期純利益（または当期純損失）を繰越利益剰余金勘定に振り替える

→各勘定を締め切る

02

現金過不足勘定が借方残高となっている場合で、決算日までに原因が判明しないときは（　　　　）勘定に振り替える。

〈選択肢〉

ア．支払利息　イ．雑損　ウ．雑費

エ．租税公課　オ．支払手数料

現金過不足勘定が借方残高となっている場合で、決算日までに原因が判明しないときは（**イ．雑損**）勘定に振り替える。

解答のPoint!

① 振り替える際は、借方の現金過不足を貸方に記入するため、借方が空欄になります。借方は費用の勘定科目である「雑損」になります。

《 第1部 解き方テキスト 編 》

第3問対策

第3問の概要

第３問は決算整理仕訳が問われます。出題形式としては、**精算表の作成問題**、**決算整理前残高試算表から損益計算書・貸借対照表を作成する問題**、**決算整理後残高試算表を作成する問題**の３種類に分かれています。

	スッキリわかる	簿記の教科書 簿記の問題集	合格テキスト 合格トレーニング	学習のポイント
精算表作成問題	第18章	CHAPTER 10～12	テーマ 24～27	順進問題。記入漏れがないように。
前T/Bから財務諸表				B/SとP/Lで金額のチェックをしよう。
決算整理後残高試算表				前T/B+決算整理=後T/B

学習方法

どの出題形式の問題でも、**決算整理事項等**を正確に仕訳することが必要です。まずは、第３問の決算整理事項等で問われる主な仕訳を学習しましょう。

精算表の作成問題では、決算整理事項等を仕訳するたびに修正記入欄に記入するように意識しましょう。
また、損益計算書欄と貸借対照表欄に配点されていることが多いため、修正記入欄へ記入した後、損益計算書欄と貸借対照表欄にも忘れずに記入するようにしましょう。

決算整理前残高試算表から損益計算書・貸借対照表を作成する問題は、決算整理事項等の仕訳について決算整理前残高試算表の各勘定に反映させて解きます。最後にまとめて答案用紙に記入するのではなく、答えが判明したつど、答案用紙に記入することを心がけましょう。

決算整理後残高試算表を作成する問題は、問題用紙の決算整理前残高試算表と答案用紙の決算整理後残高試算表の勘定科目が一部ずれていることに注意しましょう。決算整理事項等によって、仮受金勘定や仮払金勘定がなくなっていたり、減価償却費勘定が増えていたりしますので、答案用紙に記入する際は間違えないようにしましょう。

試験中の進め方

最初に決算整理事項等をざっと確認し、**確実にわかる問題**から解きましょう。すべての決算整理事項等を解く必要はありません。解けるものを確実に解いて点数を稼ぎます。
また、**当期純利益**（または**当期純損失**）や**繰越利益剰余金**は損益計算書か貸借対照表の項目がすべて正しく記入されなければ正しい解答を導くことはできないため、無理をして解こうとせず、他の箇所を見直すという戦術も合格のためには有効です。

第3問対策 1

決算整理事項

01 決算整理仕訳

1. 決算とは

会社は、会計期間の最終日である期末日に決算を行います。決算とは、会計期間における経営成績や財務状態を明らかにするための手続きをいいます。

2. 決算整理仕訳

決算整理仕訳とは、会社の会計期間の経営成績や期末日の財務状態を正しく表すため、決算で行う修正手続きのための仕訳をいいます。

3. 未処理事項等

決算整理を行う際に、期中取引の記入もれや誤り等の**未処理事項等**がないかどうかを確認します。もしあれば、仕訳を行う必要があります。

未処理事項等の仕訳を行わないままで決算整理を行うと、該当する勘定科目の残高で正しい金額が把握できず処理を誤ってしまうため、決算整理の前に仕訳します。

4. 訂正仕訳

誤った仕訳を訂正するときは**訂正仕訳**を行います。訂正仕訳は、次のように行います。

① 誤り（科目、金額、借方と貸方が逆など）を認識します。

② 誤った仕訳の貸借逆仕訳を行うことにより、いったん仕訳した内容を取り消します。

③ 正しい仕訳を行います。

④ ②と③の仕訳をまとめます（実際の解答は④のみです）。

例：3月31日　決算において、売掛金500円の普通預金口座への入金を、誤って400円と記帳していたことが判明したので、その修正を行った。

① 誤った仕訳

（普通預金）	400	（売掛金）	400

② 誤った仕訳の逆仕訳

（売掛金）	400	（普通預金）	400

③ 正しい仕訳

（普通預金）	500	（売掛金）	500

④ 訂正仕訳（②＋③）

（普通預金）	100	（売掛金）	100

02 現金過不足の整理

1. 現金過不足

現金の**実際有高**と**帳簿残高**が一致しない（不足が生じている、または超過している）ときは、その金額を**現金過不足勘定**で処理します。後日、調査により原因が判明したときに正しい勘定に振り替えます。

2. 現金過不足の仕訳（期中）

例：2月2日　現金の実際有高を調べたところ300円で、帳簿残高400円より100円不足していた。

（現金過不足）	100	（現　　　金）	100

例：2月9日　現金過不足勘定100円（借方残高）の原因が、買掛金の支払額100円の記帳漏れであったことが判明した。

（買　掛　金）	100	（現金過不足）	100

3. 現金過不足の決算整理仕訳

現金過不足勘定は、あくまでも一時的に不一致額を記録する仮の勘定です。決算時に現金過不足勘定の残高があるときは、適切な勘定に振り替えるために、原因を調べます。

① 決算日に原因が判明した分
　現金過不足勘定を**正しい勘定**に振り替えます。

② 決算日になっても原因がわからない分
　借方残高のとき：原因不明の不足額なので、これを当期の費用として**雑損勘定**（**費用**）に振り替えます。
　貸方残高のとき：原因不明の超過額なので、これを当期の収益として**雑益勘定**（**収益**）に振り替えます。

例：3月31日　決算において、現金過不足勘定を調査したが借方残高200円について不明だった。

（雑　　　損）	200	（現金過不足）	200

03 貯蔵品勘定への振り替え

1. 貯蔵品

期末に**未使用の収入印紙や切手**などの換金性が高いものを保有している場合、租税公課勘定や通信費勘定から**貯蔵品勘定**（**資産**）の借方に振り替えます。

また、前期から繰り越された貯蔵品勘定は、期首に再振替仕訳を行い、租税公課勘定や通信費勘定へ振り替えます。

2. 貯蔵品の決算整理仕訳

例：3月31日　決算において、収入印紙の未使用分が100円分あった。

（貯　蔵　品）	100	（租税公課）	100

04 当座借越

1. 当座借越

当座預金口座の残高が不足してしまうことを見越して、取引銀行と借越限度額まで当座預金残高を超えた額の引き出しができる契約（**当座借越契約**）を結んでおくことがあります。預金残高を超えた額を「**当座借越**」といい、銀行から資金を一時的に借り入れたことになります。

2. 当座借越の決算整理仕訳

期末に当座預金勘定が貸方残高となっている場合、一時的な銀行からの借り入れとして、その残高を**当座借越勘定（負債）**または**借入金勘定**の貸方に振り替えます。

なお、前期から繰り越された当座借越は、期首に再振替仕訳を行い、当座預金勘定へ振り替えます。

例：3月31日　決算において、当座預金勘定の貸方残高100円を当座借越勘定に振り替えた。

（当　座　預　金）	100	（当　座　借　越）	100

05 売上原価の算定

1. 売上原価の算定

決算において期末商品棚卸高を把握し、**売上原価**を計算します。

売上原価の算定は、『期首商品棚卸高＋当期商品仕入高－期末商品棚卸高＝売上原価』となります。

仕入(売上原価)

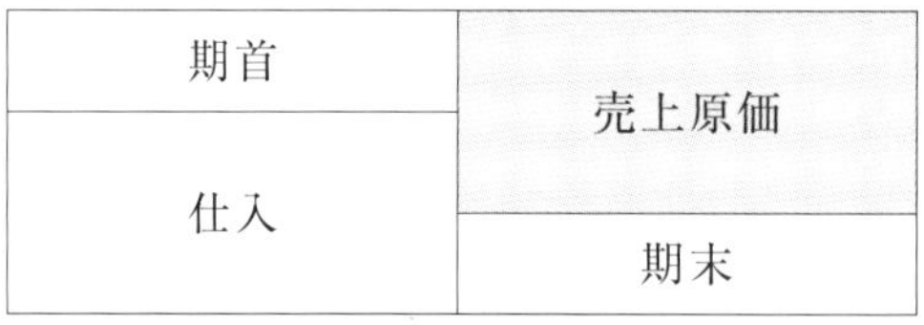

2. 売上原価の決算整理仕訳

売上原価を仕入勘定で算定する方法と、売上原価勘定で算定する方法がありますが、ここでは、売上原価を仕入勘定で算定する方法をみていきます。

例：3月31日　決算において、期首商品棚卸高は100円、仕入勘定の金額は800円であり、期末商品棚卸高は200円であった。

① 期首商品棚卸高の振り替え

（仕　　　　入）	100	（繰　越　商　品）	100

② 期末商品棚卸高の振り替え

（繰　越　商　品）	200	（仕　　　　入）	200

なお、算定される売上原価の金額は次のように計算します。

期首商品棚卸高 100 円＋当期商品仕入高 800 円－期末商品棚卸高 200 円＝**売上原価 700 円**

また、決算整理仕訳によって、決算前は期首商品棚卸高を表していた繰越商品勘定が期末商品棚卸高を表すようになります。

06 売上債権の貸倒れ処理

1. 貸倒れ処理

得意先の倒産などによって売上債権（売掛金、受取手形、クレジット売掛金、電子記録債権など）が回収できなくなることを**貸倒れ（貸倒れ処理）**といいます。

2. 貸倒れの仕訳（貸倒引当金がない場合）

貸倒れとなった売上債権の金額を減少させ、相手勘定に**貸倒損失勘定（費用）**を用います。

例：6月2日　得意先A社が倒産し、同社に対する売掛金 500 円を貸倒れ処理した。

（貸　倒　損　失）	500	（売　　掛　　金）	500

3. 貸倒引当金の決算整理仕訳

① 貸倒引当金

決算において、次期以降に売上債権が貸し倒れる可能性を見積もり、**貸倒引当金勘定（資産のマイナス）**を用いて貸倒れに備えます。

② 貸倒引当金の設定

貸倒れの見積りは、受取手形や売掛金などの売上債権の期末残高に**実積率**を乗じて見積額を計算し、**貸倒引当金繰入勘定（費用）**の借方に記入します。同時に**貸倒引当金勘定（資産のマイナス）**の貸方に記入します。なお、決算前に貸倒引当金勘定の残高がある場合は、差額のみを決算整理仕訳で計上します（差額補充法）。

例：3月31日　決算において、期末の売掛金残高 5,000 円に対し、1％の貸倒引当金を差額補充法により設定する。なお、決算整理前の貸倒引当金残高は 20 円であった。

（貸倒引当金繰入）	30*	（貸　倒　引　当　金）	30

* 貸倒れの見積額：5,000 円× 1 ％＝ 50 円
繰入額：50 円－ 20 円＝ 30 円

4. 前期以前に生じた売上債権の貸倒れ（貸倒引当金がある場合）

前期以前に生じた売上債権の貸倒れが発生したとき、貸倒れの金額より貸倒引当金残高の方が多い場合は、貸倒引当金勘定を取り崩します。一方、貸倒れの金額が貸倒引当金残高より多い場合は、まず貸倒引当金勘定を取り崩し、超過分は貸倒損失勘定を計上します。

例：7月2日　得意先B社が倒産し、同社に対する前期販売分の売掛金 500 円を貸倒れ処理した。なお、貸倒引当金勘定の残高は 700 円であった。

（貸倒引当金）	500	（売　掛　金）	500

例：7月2日　得意先C社が倒産し、同社に対する前期販売分の売掛金500円を貸倒れ処理した。なお、貸倒引当金勘定の残高は300円であった。

（貸倒引当金）	300	（売　掛　金）	500
（貸倒損失）	200*		

＊　500円－300円＝200円

5. 当期に生じた売上債権の貸倒れ

当期に生じた売上債権が貸し倒れた場合は、貸倒引当金残高があっても全額を貸倒損失として処理します。

例：8月2日　得意先D社が倒産し、同社に対する当期販売分の売掛金500円を貸倒れ処理した。なお、貸倒引当金勘定の残高は300円であった。

（貸倒損失）	500	（売　掛　金）	500

07　有形固定資産の減価償却

1. 減価償却

有形固定資産（建物、備品および車両運搬具など）は、使用や、時の経過によって、価値が減少します。決算において価値の減少分を費用として計上することを、固定資産の**減価償却**といい、このとき計上する費用を**減価償却費**といいます。

2. 減価償却費の計算

① 減価償却の計算要素

毎期の減価償却費を計算する際に必要な要素には、取得原価、耐用年数、残存価額、償却方法および記帳方法があります。

取得原価：有形固定資産を取得し、使用するまでにかかる金額。
耐用年数：有形固定資産が何年使用できるかを見積もった年数。
残存価額：耐用年数が経過して処分するときに予想される価値。
償却方法：定額法や定率法などがあるが、３級では定額法のみ。
記帳方法：直接法と間接法があるが、３級では間接法のみ。

また、過去の減価償却費の累計額を**減価償却累計額**（**資産のマイナス**）といい、取得原価から減価償却累計額を引いた勘定残高を**帳簿価額**（その時点の実質的な価値）といいます。

② 減価償却費の計算（定額法）

定額法とは、毎期一定額の減価償却費を計上する方法で、次の計算式によって計算されます。

$$1年分（12か月分）の減価償却費=\frac{取得原価-残存価額}{耐用年数}$$

（注）定額法による減価償却費には、取得原価に償却率（残存価額がゼロの場合、１÷耐用年数）を掛けて計算する方法もあるので問題文の指示に従ってください。

例：3月31日　決算において、当期首に取得し使用を開始した備品（取得原価1,000円、耐用年数3年、残存価額は取得原価の10%）の減価償却を定額法により行った。

（減価償却費）	300*	（減価償却累計額）	300

$$*\ \frac{1{,}000\text{円} - 1{,}000\text{円} \times 10\%}{3\text{年}} = 300\text{円（1年分の減価償却費）}$$

③　期中取得した場合の減価償却費

有形固定資産を期中に取得した場合は、原則として当期に使用した月数に応じて月割りで計算し、減価償却費を計上します。

なお、使用開始日が月の途中だった場合は、その月を1か月と数えます。

$$\text{期中取得時の減価償却費} = \text{1年分の減価償却費} \times \frac{\text{使用開始日から決算日までの月数}}{\text{12か月}}$$

例：3月31日　決算において、当期12月1日に取得し使用を開始した備品（取得原価1,000円、耐用年数3年、残存価額は取得原価の10%）の減価償却を定額法により行った。

（減価償却費）	100*	（減価償却累計額）	100

$$*\ \frac{1{,}000\text{円} - 1{,}000\text{円} \times 10\%}{3\text{年}} \times \frac{\text{4か月}}{\text{12か月}} = 100\text{円（4か月分の減価償却費）}$$

08 経過勘定

1. 経過勘定

一定期間にわたりサービスの提供の受け渡しがある場合、一会計期間における現金等の収支が計上すべき損益と対応しないことがあります。これを調整するために用いるのが、**経過勘定**です。

2. 経過勘定の種類

「前払費用」、「前受収益」、「未払費用」、「未収収益」を総称して**経過勘定項目**といいます。

費用の前払い：次期以降の費用を当期中に前払いしている場合、計上している費用の金額の中に、次期以降の費用が含まれているので、その金額を当期の費用から差し引き、「**前払費用**」として貸借対照表の資産に計上します。

収益の前受け：次期以降の収益を当期中に前受けしている場合、計上している収益の金額の中に、次期以降の収益が含まれているので、その金額を当期の収益から差し引き、「**前受収益**」として貸借対照表の負債に計上します。

費用の未払い：当期の費用の金額に不足分がある場合、その不足分の金額を「**未払費用**」として貸借対照表の負債に計上します。

収益の未収：当期の収益の金額に不足分がある場合、その不足分の金額を「**未収収益**」として貸借対照表の資産に計上します。

3. 経過勘定の決算整理仕訳

決算整理前残高試算表に計上されている費用・収益の金額が何か月分なのかを考えて、決算整理仕訳をします。前年度末に経過勘定が計上されている場合は、期首に行った再振替仕訳の分が決算整理前残高試算表に反映されているので注意が必要です。

例：×1年8月1日　向こう1年分の保険料900円（12か月分）を現金で支払った。

（保　　険　　料）	900	（現　　　　金）	900

例：×2年3月31日　決算において、決算整理前残高試算表の保険料900円（12か月分）について前払分を調整した。

（前 払 保 険 料）	300*	（保　　険　　料）	300

＊ $900\text{円} \times \frac{4\text{か月}(\times 2\text{年}4\text{月}1\text{日}\sim 7\text{月}31\text{日})}{12\text{か月}} = 300\text{円}$

例：×2年4月1日　前期末の決算において計上された前払保険料300円（4か月分）を振り替えた。

（保　　険　　料）	300	（前 払 保 険 料）	300

例：×2年8月1日　向こう1年分の保険料900円（12か月分）を現金で支払った。

（保　　険　　料）	900	（現　　　　金）	900

例：×3年3月31日　決算において、決算整理前残高試算表の保険料1,200円（4か月＋12か月分）について前払分を調整した。

（前 払 保 険 料）	300*	（保　　険　　料）	300

＊ $1{,}200\text{円} \times \frac{4\text{か月}(\times 3\text{年}4\text{月}1\text{日}\sim 7\text{月}31\text{日})}{16\text{か月}} = 300\text{円}$

09 仮払い・仮受けの処理

1. 仮払金

従業員の出張等で必要な資金を前渡ししたとき、内容や金額が未確定であるため**仮払金勘定（資産）**の借方に記入し、出金処理します。後に内容や金額が確定したとき、該当する科目に振り替えます。

2. 仮払金の仕訳

① 仮払いしたとき

内容や金額が未確定の前渡額は仮払金勘定の借方に記入します。

例：5月6日　従業員の出張にあたり、旅費交通費の概算額500円を現金で前渡しした。

（仮　　払　　金）	500	（現　　　　金）	500

② 内容が確定（判明）したとき

仮払い処理した金額の内容等が確定（判明）したときは、仮払金勘定の貸方に記入して消去し、該当する勘定科目の借方に記入し、差額は現金等で精算します。

例：5月16日　従業員が出張より帰社し、出発時に概算払いした500円について、旅費交通費として300円支払ったとの報告を受けた。残額の200円を現金で受け取った。

（旅費交通費）	300	（仮　払　金）	500
（現　　　金）	200		

3. 仮受金

預金口座に入金されたが、その内容が不明な場合は**仮受金勘定**（**負債**）の貸方に記入し、入金処理します。後に内容が判明したとき、該当する科目に振り替えます。

4. 仮受金の仕訳

① 内容不明の入金があったとき

内容が不明な入金額は、仮受金勘定の貸方に記入します。

例：5月11日　出張中の従業員より当座預金口座に300円の振り込みがあったが内容は不明である。

（当　座　預　金）	300	（仮　受　金）	300

② 内容が判明したとき

仮受け処理した金額の内容等が判明したときは、仮受金勘定の借方に記入して消去し、判明した勘定科目の貸方に記入します。

例：5月21日　従業員が出張から帰社し、先に内容不明として処理した300円の振込額は、売掛金の回収であったことが判明した。

（仮　受　金）	300	（売　掛　金）	300

10 法人税等の処理

1. 法人税、住民税及び事業税（法人税等）

株式会社の課税所得に対して課される税を法人税といいます。また、地方公共団体によって課される住民税や事業税は、その申告や納付が法人税に準じて行われます。これら法人税、住民税および事業税を**法人税、住民税及び事業税**（または**法人税等**）**勘定**（**費用**）で処理します。

2. 中間申告

中間申告によって納付した法人税額は、確定申告の際の納付に対する仮払いの性質があるので、**仮払法人税等勘定**（**資産**）で処理します。

例：×1年10月31日　法人税の中間申告を行い、税額300円を小切手を振り出して納付した。

（仮払法人税等）	300	（当　座　預　金）	300

3. 決算時の仕訳

収益から費用を差し引いて算定した税引前当期純利益にもとづいて、法人税、住民税及び事業税を計上します。法人税、住民税及び事業税から中間申告で計上していた仮払法人税等を除いた残額を**未払法人税等勘定（負債）**として処理します。

例：×2年3月31日　決算の結果、当期の法人税、住民税及び事業税が700円と確定した。なお、この金額から中間納付額300円を控除した金額を未払分として計上する。

（法人税、住民税及び事業税）	700	（仮払法人税等）	300
		（未払法人税等）	400

11 消費税の処理

1. 消費税

消費税は商品の購入やサービスの提供を受ける際に課税される税金です。

2. 消費税の決算整理仕訳（税抜方式）

商品を仕入れた時は、**仮払消費税（資産）**を計上し、商品を売り上げた時は、**仮受消費税（負債）**を計上しています。

決算整理仕訳では、仮受消費税から仮払消費税を差し引いた差額を納税額として、**未払消費税勘定（負債）**で処理します。

例：×2年3月31日　決算において、仮払消費税50円と仮受消費税80円を相殺し納税額を確定した。

（仮受消費税）	80	（仮払消費税）	50
		（未払消費税）	30

2 精算表

01 精算表とは

決算において、試算表にもとづいた勘定記録の確認や修正を行い、損益計算書および貸借対照表の作成までの計算の流れを、1つの表にまとめたものを**精算表（Work Sheet：W/S）**といいます。

02 精算表の形式

精算表には8桁・10桁などの形式がありますが、ここでは8桁精算表を示します。

残高試算表欄
決算整理前の
残高試算表

損益計算書欄
借方に費用、貸
方に収益を表示

精　算　表　(単位：円)

勘定科目	残高試算表		修正記入		損益計算書		貸借対照表	
	借方	貸方	借方	貸方	借方	貸方	借方	貸方

修正記入欄
決算整理仕訳を
記入する欄

貸借対照表欄
借方に資産、貸方に負債
と資本（純資産）を表示

03 精算表の作成

精算表は次のように作成します。

1. 残高試算表欄の記入

決算整理前残高試算表の金額を**残高試算表欄**（または試算表欄）に記入します。**繰越利益剰余金より上の勘定科目が貸借対照表**の項目であり、**売上より下の勘定科目は損益計算書**の項目となっています。なお、本試験においては記入済みであることがほとんどです。

2. 決算整理仕訳の記入

決算整理前残高試算表および期末の修正事項にもとづいて決算整理仕訳を行い、**修正記入欄**に記入します。このとき、**決算整理前残高試算表に記載されていない勘定科目は、残高試算表欄の合計より下に記入**します。

3. 損益計算書欄、貸借対照表欄の記入

残高試算表欄に記入された金額に、修正記入欄の金額を加減算して、損益計算書欄または貸借対照表欄に記入します。

なお、金額を加減算するときは、次のルールにもとづいて行います。

●精算表の加減算のルール

① 借方どうし、貸方どうしは**加算**します。

② 貸借逆のものは**減算**して、残高がある方に記入します。

各パターンを示すと、以下のようになります。

精　算　表　（単位：円）

勘定科目	残高試算表		修正記入		損益計算書		貸借対照表	
	借方	貸方	借方	貸方	借方	貸方	借方	貸方
資産	100		⊕ 10				110	
資産	100			⊖ 20			80	
負債・資本		100		⊕ 30				130
負債・資本		100	⊖ 40					60
収益		100		⊕ 50		150		
収益		100	⊖ 60			40		
費用	100		⊕ 70		170			
費用	100			⊖ 80	20			

例：現金（資産）を50円減らし、支払利息（費用）を50円増やす場合

精　算　表　（単位：円）

勘定科目	残高試算表		修正記入		損益計算書		貸借対照表	
	借方	貸方	借方	貸方	借方	貸方	借方	貸方
現金	800			⊖ 50			750	
支払利息	100		⊕ 50		150			

現金は資産の科目なので、残高試算表欄では借方に記入されています。現金を50円減らす場合は、修正記入欄の貸方に「50」を記入します。資産の修正記入欄貸方の記入はマイナスを意味します。修正後の金額750円を、貸借対照表欄の借方に記入します。

支払利息は費用の科目なので、残高試算表欄では借方に記入されています。支払利息を50円増やす場合は、修正記入欄の借方に「50」を記入します。費用の修正記入欄借方の記入はプラスを意味します。修正後の金額150円を、損益計算書欄の借方に記入します。

04 精算表の完成

1. 当期純利益（当期純損失）

損益計算書欄および貸借対照表欄それぞれの借方合計と貸方合計の差額を算出し、**当期純利益**（または**当期純損失**）として、合計金額の少ない側に記入します（貸借を一致させます）。

2. 合計金額

各記入欄の一番下の借方と貸方の合計金額を計算（一致を確認）して、二重線を引いて締め切ります。

例　題

次の決算整理事項にもとづいて、精算表を完成させなさい。

〈決算整理事項〉

1. 期末商品棚卸高は400円である。売上原価は「仕入」の行で算定する。
2. 売掛金の期末残高に対し、10円の貸倒引当金を設定し、差額補充法により5円を繰り入れる。
3. 建物について減価償却費50円を計上する。
4. 借入金の利息について15円の未払い額がある。

精　算　表　　　　(単位：円)

勘定科目	残高試算表		修正記入		損益計算書		貸借対照表	
	借　方	貸　方	借　方	貸　方	借　方	貸　方	借　方	貸　方
現　　　金	600							
売　掛　金	500							
繰越商品	200							
建　　　物	900							
買　掛　金		400						
借　入　金		200						
貸倒引当金		5						
建物減価償却累計額		450						
資　本　金		800						
繰越利益剰余金		245						
売　　　上		900						
仕　　　入	600							
給　　　料	100							
支払利息	100							
	3,000	3,000						
貸倒引当金繰入								
減価償却費								
未払利息								
当期純利益								

解　答

精　算　表　　　　(単位：円)

勘定科目	残高試算表		修正記入		損益計算書		貸借対照表	
	借　方	貸　方	借　方	貸　方	借　方	貸　方	借　方	貸　方
現　　　金	600						600	
売　掛　金	500						500	
繰越商品	200		400	200			400	
建　　　物	900						900	
買　掛　金		400						400
借　入　金		200						200
貸倒引当金		5		5				10
建物減価償却累計額		450		50				500
資　本　金		800						800
繰越利益剰余金		245						245
売　　　上		900				900		
仕　　　入	600		200	400	400			
給　　　料	100				100			
支払利息	100		15		115			
	3,000	3,000						
貸倒引当金繰入			5		5			
減価償却費			50		50			
未払利息				15				15
当期純利益					230			230
			670	670	900	900	2,400	2,400

解答の手順

① 決算整理仕訳

決算整理仕訳のうち、残高試算表欄にない勘定科目は追加します（本問では記入済み）。

1	（仕　　　入）	200	（繰越商品）	200
	（繰越商品）	400	（仕　　　入）	400
2	（貸倒引当金繰入）	5	（貸倒引当金）	5
3	（減価償却費）	50	（建物減価償却累計額）	50
4	（支払利息）	15	（未払利息）	15

② 決算整理仕訳の記入と加減算

残高試算表欄に記入された金額に、修正記入欄の金額を加減算して、損益計算書欄または貸借対照表欄に記入します。

③ 当期純利益の算定

損益計算書欄および貸借対照表欄それぞれの借方合計と貸方合計の差額230円を、当期純利益として損益計算書欄の借方と貸借対照表欄の貸方に記入します。

④ 合計欄の記入

各記入欄の一番下の借方と貸方の合計金額を計算（一致を確認）して、二重線を引いて締め切ります。

精　算　表　　（単位：円）

勘定科目	残高試算表		修正記入		損益計算書		貸借対照表	
	借方	貸方	借方	貸方	借方	貸方	借方	貸方
現金	600						600	
売掛金	500						500	
繰越商品	200		⊕ 400	⊖ 200			400	
建物	900						900	
買掛金		400						400
借入金		200						200
貸倒引当金		5		⊕ 5				10
建物減価償却累計額		450		⊕ 50				500
資本金		800						800
繰越利益剰余金		245						245
売上		900				900		
仕入	600		⊕ 200	⊖ 400	400			
給料	100				100			
支払利息	100		⊕ 15		115			
	3,000	3,000						
貸倒引当金繰入			5		5			
減価償却費			50		50			
未払利息				15				15
当期純利益					230			230
			670	670	900	900	2,400	2,400

05 精算表作成の流れ

精算表の流れをまとめると次のようになります。

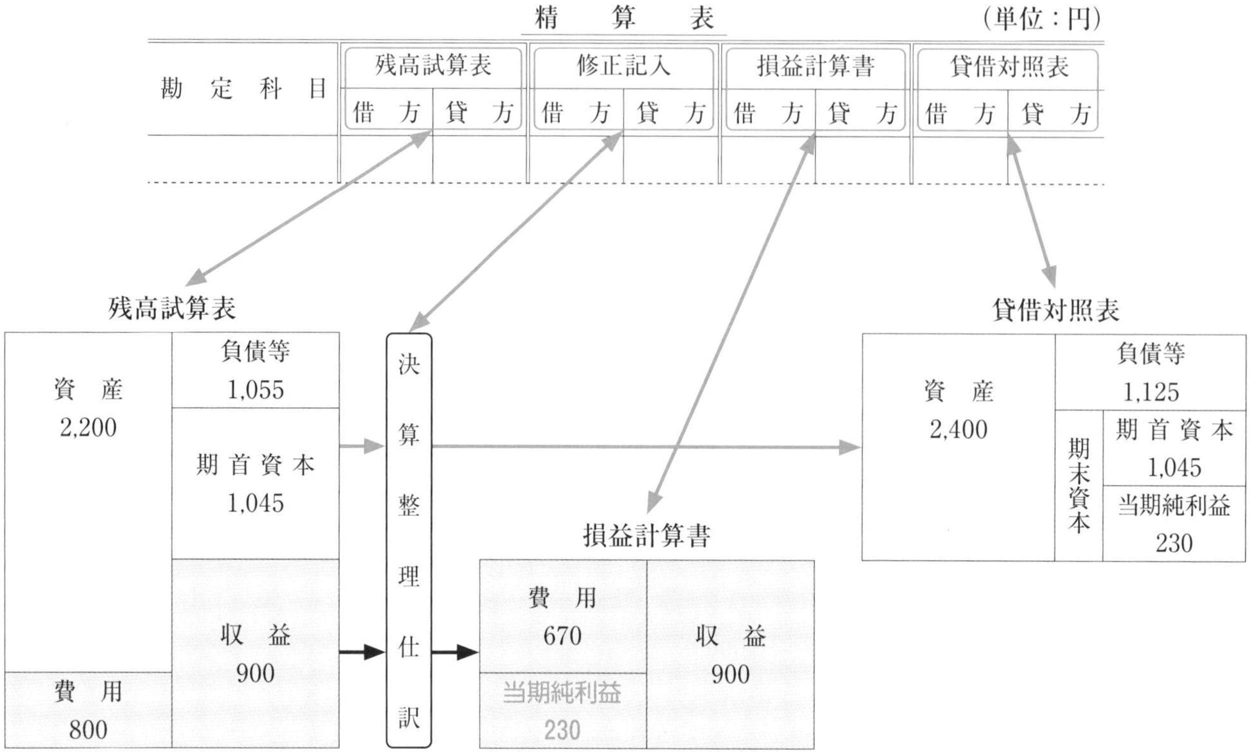

財務諸表（損益計算書と貸借対照表）

01 財務諸表

帳簿を締め切った後は、外部報告用の報告書として、損益計算書と貸借対照表を作成します。これらの報告書を財務諸表といいます。

02 損益計算書の作成

損益計算書（Profit and Loss statement : P/L）は、一会計期間の収益と費用から、差額である当期純利益（または当期純損失）を計算した表で、企業の**経営成績**を明らかにするために作成されます。

損益計算書

東京（株）　×1年4月1日～×2年3月31日　（単位：円）

費用	金額	収益	金額
❶ 売上原価	1,100	売上高 ❷	2,100
減価償却費	300		
貸倒引当金繰入	100		
支払利息	200		
法人税、住民税及び事業税	200		
❸ 当期純利益	200		
	2,100		2,100

❶「仕入」ではなく「売上原価」と記入。
❷「売上」ではなく「売上高」と記入。
❸ 収益＞費用なら当期純利益（借方）
収益＜費用なら当期純損失（貸方）
当期純利益の場合は赤字で記入（試験では黒字で記入）。

03 貸借対照表の作成

貸借対照表（Balance Sheet : B/S）は、決算日における資産・負債・資本（純資産）をまとめた表で、企業の**財政状態**を明らかにするために作成されます。

貸　借　対　照　表

東京（株）　　　　×2年3月31日　　　　（単位：円）

資　産	金　額		負債・純資産	金　額
現　金		300	買　掛　金	300
❶ 売　掛　金	500	❷	前　受　収　益	100
貸　倒　引　当　金	△　10	490	未　払　法　人　税　等	200
❸ 商　品		90	資　本　金	800
前　払　費　用		60	繰越利益剰余金	300 ❻
❹ 建　物	800	❺		
建物減価償却累計額	△　40	760		
		1,700		1,700

❶ 貸倒引当金は売掛金（または受取手形・電子記録債権）の下に記入。
❷ 売掛金（または受取手形・電子記録債権）から貸倒引当金を差し引いた残額を記入。
❸ 「繰越商品」ではなく「商品」と記入。
❹ 減価償却累計額は各固定資産の科目の下に記入。
❺ 各固定資産から減価償却累計額を差し引いた残額を記入。
❻ 決算整理前の残高に当期純利益を加算（または当期純損失を減算）。

つまずきポイント～
貸倒引当金は、売掛金だけでなく、受取手形・電子記録債権からも引く？

貸倒引当金は売上債権に対して設定されます。

日商簿記3級で出題される売上債権には売掛金、受取手形、電子記録債権がありますので、貸倒引当金もこれらについて設定します。

ただ、解答上、注意する点があります。それは、貸倒引当金の表示の仕方です。

それぞれから貸倒引当金を控除するパターンもあれば、総額から貸倒引当金をまとめて控除するパターンもあります。

どのパターンで解答するのか答案用紙をよく確認してから解答するようにしてください。

売　掛　金	×××	
貸倒引当金	△××	×××
受　取　手　形	×××	
貸倒引当金	△××	×××
電子記録債権	×××	
貸倒引当金	△××	×××

売　掛　金	×××	
受　取　手　形	×××	
電子記録債権	×××	
貸倒引当金	△××	×××

ちょっと整理　貸倒れの処理

①当期に発生した売掛金などの貸倒れ
➡ **全額、貸倒損失**

②前期以前に発生した売掛金などの貸倒れ
➡ **設定している貸倒引当金の取り崩し、超える額は貸倒損失**

③前期以前に貸倒処理した売掛金などの回収
➡ **償却債権取立益**

以上の3つを押さえておきましょう。

第3問対策 4

決算整理後残高試算表

01 決算整理前残高試算表と決算整理後残高試算表

決算整理**前**残高試算表（Trial Balance：前 T/B）に決算整理仕訳を反映させた表を、**決算整理後残高試算表（後 T/B）**といいます。決算整理の処理に誤りがないかを検証すると同時に、当期の財務諸表の基礎となる金額の把握ができます。

02 決算整理後残高試算表の作成

例　題

×3年3月31日、決算において、次の決算整理前残高試算表および決算整理事項にもとづいて、⑴決算整理仕訳を行い、⑵決算整理後残高試算表を完成しなさい。

〈決算整理前残高試算表〉

決算整理前残高試算表

×3年3月31日

借　　方	勘 定 科 目	貸　　方
200	現　　　　金	
1,000	売　　掛　　金	
500	繰　越　商　品	
800	備　　　　品	
	買　　掛　　金	400
	借　　入　　金	900
	貸　倒　引　当　金	10
	備品減価償却累計額	300
	資　　本　　金	1,000
	繰越利益剰余金	190
	売　　　　上	1,100
700	仕　　　　入	
400	給　　　　料	
200	保　　険　　料	
100	支　払　利　息	
3,900		3,900

〈決算整理事項〉

1. 期末商品棚卸高は300円である。売上原価は仕入勘定で算定する。
2. 売掛金の期末残高に対し20円の貸倒引当金を設定し、差額補充法により10円を繰り入れる。
3. 備品について減価償却費100円を計上する。

4．保険金の前払額が20円ある。
5．借入金の利息について30円の未払額がある。

解答の手順

資料にもとづき、決算整理仕訳を行い、決算整理前残高試算表の金額を加減算することで、決算整理後残高試算表を作成します。

(1) 決算整理仕訳

決算整理事項をもとに、決算整理仕訳を行います。

1.	(仕　　入)	500	(繰越商品)	500
	(繰越商品)	300	(仕　　入)	300
2.	(貸倒引当金繰入)	10	(貸倒引当金)	10
3.	(減価償却費)	100	(備品減価償却累計額)	100
4.	(前払保険料)	20	(保険料)	20
5.	(支払利息)	30	(未払利息)	30

(2) 決算整理後残高試算表

決算整理前残高試算表に決算整理仕訳を加減算したものが、下記の決算整理後残高試算表になります。

決算整理後残高試算表
×3年3月31日

	借方	勘定科目	貸方	
	200	現金		
	1,000	売掛金		
500円－500円+300円＝300円 →	300	繰越商品		
	20	前払保険料		
	800	備品		
		買掛金	400	
		借入金	900	
		未払利息	30	
		貸倒引当金	20	← 10円+10円＝20円
		備品減価償却累計額	400	← 300円+100円＝400円
		資本金	1,000	
		繰越利益剰余金	190	
		売上	1,100	
700円+500円－300円＝900円 →	900	仕入		
	400	給料		
200円－20円＝180円 →	180	保険料		
100円+30円＝130円 →	130	支払利息		
	10	貸倒引当金繰入		
	100	減価償却費		
	4,040		4,040	

第2部

TAC予想模試
第1回～第4回

解答解説 編

単に正解の確認だけでなく、

・本試験の解き方を示したタイムライン

・どこを取るべきか示した攻略のポイント

を意識しましょう。

第1回 解答解説

合《う》格《か》るタイムライン

第1回はこの順序で解こう！

準備 問題把握（5分）

「60分を効率よく使って、絶対合格！」

- 問題文全体（答案用紙も含む）をひととおりチェックしましょう。
- 基本的に配点の高い「第1問→第3問→第2問」の順で解くのがお勧めですが、苦手な項目があったら後回しにしましょう。

〈第1回の解く順〉 **第1問** ➡ **第3問** ➡ **第2問(1)** ➡ **第2問(2)**

5分

第1問（20分）

- 勘定科目の指定がある仕訳問題です。
- おおむね基本的な問題です。8割以上は正解できるようにしましょう。
  ⇒問題文や選択肢に指示やヒントが入っていることが多いため、問題をしっかり読む習慣をつけましょう。

25分

第3問（15分）

- 精算表の作成問題です。
  ⇒すべての箇所を解答しようとするあまり、時間を余分にかけ過ぎることは避けましょう。
  ⇒売掛金に関する誤記帳事項等の反映は、貸倒引当金の計算にかかわるため注意しましょう。
  ⇒当期純利益は、損益計算書か貸借対照表のどちらかすべてを正答しないと得点できないため、各項目の処理で手間取るようであれば、無理に解答する必要はありません。

40分

第2問（15分）

- (1)は支払利息に関する勘定記入の問題です。
  ⇒各取引を仕訳してから勘定記入するとケアレスミスを防ぐことができます。
  ⇒次期繰越を記入したあとに、前期繰越を記入することを忘れないようにしましょう。
- (2)は商品有高帳の作成問題です。
  ⇒日付順に記入しましょう。払出単価を移動平均法によって算定しているため、仕入のつど単価を計算します。
  ⇒仕入返品では、どの取引によって仕入れた商品を返品したのか考えましょう。

55分

見直し（5分）

- わからなくて飛ばしたところをもう一度解いてみましょう。
- 「もしかしたらこうかな…」というところは必ず埋めましょう！
- 解答方法や単位にミスがないか見直しましょう。
- 最後に名前の書き忘れがないかどうか、再度確認しましょう。

試験終了 **60分**

第1問（45点） 解答

		借方		貸方	
		記号	金額	記号	金額
A	1	（ア）	856,000	（ウ）	856,000
B	2	（ア） （エ）	500,000 220,000	（カ）	720,000
A	3	（カ） （オ）	70,000 90,000	（ウ）	160,000
A	4	（ウ）	320,000	（ア）	320,000
B	5	（エ） （ウ） （イ）	6,120,000 8,670,000 20,000	（オ）	14,810,000
A	6	（エ）	120,000	（イ）	120,000
A	7	（ア）	18,000	（エ）	18,000
A	8	（ウ） （エ） （カ） （イ）	40,000 6,000 10,000 2,000	（ア）	58,000
A	9	（ア） （カ）	1,600,000 300	（エ） （オ）	1,000,000 600,300
A	10	（カ）	900,000	（ウ）	900,000
A	11	（ウ） （エ）	66,000 9,000	（カ）	75,000
A	12	（ウ）	1,500,000	（イ）	1,500,000
A	13	（カ）	8,000	（ア） （イ）	6,000 2,000
B	14	（オ） （ア） （カ）	4,692,000 76,000 42,000	（イ）	4,810,000
A	15	（ウ）	3,000,000	（カ）	3,000,000

仕訳一組につき3点を与える。合計45点。

❖ 解答への道

1 仕入（仕入諸掛り・買掛金）

解答

（仕　　入）	856,000*	（買　掛　金）	856,000

＊　850,000円＋6,000円＝856,000円

当社負担の送料は仕入諸掛りであり、商品代価に加算して取得原価とするため、**仕入勘定**（費用）で処理します。代金は掛けのため、**買掛金勘定**（負債）の**貸方**に記入します。

2 売掛金の回収と売上返品

解答

（現　　金）	500,000*	（売　掛　金）	720,000
（売　　上）	220,000		

＊　50,000円＋450,000円＝500,000円

売掛金を回収したときは**売掛金勘定**（資産）の**貸方**に記入し、受け取った普通為替証書（郵便為替証書）と他社振出小切手は通貨代用証券に該当するため**現金勘定**（資産）の**借方**に記入します。また、未処理となっている売上返品については、**売上勘定**（収益）の**借方**に記入するとともに、**売掛金勘定**（資産）の**貸方**へ記入し売上時の反対仕訳を行います。

3 貸倒れ

解答

（貸 倒 引 当 金）	70,000	（売　掛　金）	160,000
（貸　倒　損　失）	90,000		

売掛金を貸倒れとして処理するときは、**売掛金勘定**（資産）の**貸方**に記入します。前期発生の売掛金が貸し倒れたときは、**貸倒引当金勘定**（資産のマイナス）に残高があれば**借方**に記入して相殺（充当）し、不足する金額については**貸倒損失勘定**（費用）の**借方**に記入します。

なお、「当期に発生した売掛金が当期中に貸し倒れた場合」には、貸倒引当金勘定に残高があっても、相殺（充当）しないで、全額を貸倒損失勘定の借方に記入します。

4 当座借越の期首再振替仕訳

解答

（当　座　借　越）	320,000	（当 座 預 金 A 銀 行）	320,000

期末において、各銀行の当座預金口座に貸方残高が生じている場合、決算整理において当座借越勘定（負債）などへ振り替えます。翌期首にはこれを振り戻すため、**当座借越勘定**（負債）の**借方**に記入します。相手科目は、問題文より**当座預金A銀行勘定**（資産の勘定、ただし本問ではマイナス残高）の**貸方**に記入します。

5 有形固定資産の取得

解答

（土　　地）	6,120,000*1	（普　通　預　金）	14,810,000
（建　　物）	8,670,000*2		
（租　税　公　課）	20,000		

＊1　6,000,000円＋6,000,000円×２％＝6,120,000円
＊2　8,500,000円＋8,500,000円×２％＝8,670,000円

土地勘定（資産）と**建物勘定**（資産）は、購入代価に不動産会社への手数料（付随費用）を含めた取得原価で**借方**に記入します。印紙税は問題文に費用処理することが指示されているため、**租税公課勘定**（費用）として**借方**に記入します。また、普通預金口座から振り込んでいるため、**普通預金勘定**（資産）の**貸方**に記入します。

6 売上・一部現金取引（伝票）

解答

（売掛金）	120,000	（売上）	120,000

一部現金取引（現金取引とそれ以外の取引が混在している取引）の起票方法には、①取引を分解して起票する方法と、②２つの取引が同時にあったと仮定して起票する方法がありますが、入金伝票の相手科目に売掛金と記載されているため、本問では②の方法により起票されていることがわかります。

入金伝票は一部の売掛金について現金で受け取ったとして起票されています。したがって、振替伝票には全額を掛けで売り上げた取引を起票するため、**売掛金勘定**（資産）の**借方**と、**売上勘定**（収益）の**貸方**に記入します。

振替伝票	（売掛金）	120,000	（売上）	120,000
入金伝票	（現金）	50,000	（売掛金）	50,000

7 現金過不足の解消

解答

（諸会費）	18,000	（現金過不足）	18,000

現金過不足が生じた原因が判明したため、正しい勘定科目で処理します。

現金過不足の原因が諸会費の未記帳と判明したため、**諸会費勘定**（費用）を**借方**に記入します。また、借方計上されていた**現金過不足勘定**について**貸方**に記入します。

8 小口現金

解答

（旅費交通費）	40,000	（小口現金）	58,000
（通信費）	6,000		
（消耗品費）	10,000		
（租税公課）	2,000		

会計係が小口現金の支払報告を受けたときは、**小口現金勘定**（資産）の**貸方**に記入するとともに、支払内容に合わせて該当する各種費用の勘定の**借方**に記入します。

また、普通預金口座から資金の補給を行ったときは、小口現金勘定（資産）の借方と、普通預金勘定（資産）の貸方に記入しますが、本問では、翌週に補給する旨が示されているので補給の仕訳は必要ありません。定額資金前渡制（インプレスト・システム）では、一定期間の支払額と同額を補給することで、小口現金の定額管理を行います。

9 預金の移動・銀行別の管理

解答

（当座預金Ｘ銀行）	1,600,000	（普通預金Ｘ銀行）	1,000,000
（支払手数料）	300	（普通預金Ｙ銀行）	600,300*

＊　600,000円＋300円＝600,300円

預金口座を銀行口座別に管理する場合、各預金勘定に銀行名（本問ではＸ銀行・Ｙ銀行）を付けた勘定科目を用います。

Ｘ銀行の普通預金からＸ銀行の当座預金に振り込んでいるため、**普通預金Ｘ銀行勘定**（資産）の**貸方**と**当座預金Ｘ銀行勘定**（資産）の**借方**に記入します。また、Ｙ銀行の普通預金からＸ銀行の当座預金に振り込んでいるため、**当座預金Ｘ銀行勘定**（資産）の**借方**に記入し、手数料については**支払手数料勘定**（費用）の**借方**に記入し、合計額を**普通預金Ｙ銀行勘定**（資産）の**貸方**に記入します。

10 電子記録債権の決済

解答

（当座預金）	900,000	（電子記録債権）	900,000

電子記録債権が決済されたときは、**電子記録債権勘定**（資産）の**貸方**に記入します。また、当座預金口座に振り込まれたため、**当座預金勘定**（資産）の**借方**に記入します。

11 仮払金の精算

解答

（旅費交通費）	66,000	（仮払金）	75,000
（現金）	9,000*		

＊ 75,000円－66,000円＝9,000円

出張の際に概算払いした金額は、仮払金勘定（資産）の借方に記入しています。その後、精算を行ったときに、**仮払金勘定**の**貸方**に記入し、借方に確定した勘定科目および金額を記入します。したがって、旅費交通費の金額を、指定勘定科目より**旅費交通費勘定**（費用）の**借方**に、受け取った現金を**現金勘定**（資産）の**借方**に記入します。

12 従業員に対する貸付金

解答

（従業員貸付金）	1,500,000	（普通預金）	1,500,000

従業員に対して貸付けを行っているため、**従業員貸付金勘定**（資産）の**借方**に記入します。また、普通預金口座から振り込んでいるため、**普通預金勘定**（資産）の**貸方**に記入します。

一般的に、従業員に対する貸付けは、他の貸付金と区別するため従業員貸付金勘定で処理しますが、検定試験では指定科目に従ってください。

13 貯蔵品

解答

（貯蔵品）	8,000	（通信費）	6,000
		（租税公課）	2,000

決算において未使用分の郵便切手は**通信費勘定**（費用）から**貯蔵品勘定**（資産）の**借方**に振り替えます。また、未使用分の収入印紙は**租税公課勘定**（費用）から**貯蔵品勘定**の**借方**に振り替えます。

14 決算振替仕訳

解答

（売上）	4,692,000*	（損益）	4,810,000
（受取手数料）	76,000		
（受取利息）	42,000		

＊ 4,710,000円－18,000円＝4,692,000円

当期純損益を算定するため、決算整理後の残高について、費用の諸勘定は損益勘定の借方へ、また、収益の諸勘定は**損益勘定**の**貸方**へ振り替えます。損益勘定の貸借差額として当期純損益を算定（「借方＜貸方」の場合は当期純利益、「借方＞貸方」の場合は当期純損失）し、株式会社はこれを繰越利益剰余金勘定（資本）に振り替えます。この一連の仕訳を決算振替仕訳といいます。なお、売上については、総売上高から売上戻り高を控除した純売上高を損益勘定に振り替えます。

15 手形貸付金の回収

解答

（当座預金）	3,000,000	（手形貸付金）	3,000,000

金銭を貸し付けた際に、約束手形を受け取った場合には、手形貸付金勘定（資産）の借方に記入しています。したがって、手形貸付金を回収したときは、資産の減少として**手形貸付金勘定**（資産）の**貸方**に記入します。また、当座預金口座へ振り込まれたときは、**当座預金勘定**（資産）の**借方**に記入します。

Link

出題内容	合格テキスト 合格トレーニング	スッキリわかる	簿記の教科書 簿記の問題集
仕入（諸掛り・買掛金）	テーマ04、05	第2章	CHAPTER02
売掛金の回収・売上返品	テーマ04、05	第2章	CHAPTER02
貸倒れ	テーマ19	第10章	CHAPTER11
当座借越の期首再振替仕訳	テーマ22	第4章	CHAPTER11
有形固定資産の購入・租税公課	テーマ12、21	第9、11章	CHAPTER05、06
売上・一部現金取引（伝票）	テーマ32	第17章	CHAPTER09
現金過不足の解消	テーマ17	第3章	CHAPTER03
小口現金	テーマ07	第5章	CHAPTER03
預金の移動・銀行別の管理	テーマ06	第4章	CHAPTER03
電子記録債権の決済	テーマ10	第6章	CHAPTER04
仮払金の精算	テーマ13	第8章	CHAPTER06
（従業員）貸付金	テーマ11	第7章	CHAPTER06
貯蔵品	テーマ21	第9章	CHAPTER11
決算振替仕訳	テーマ26	第19章	CHAPTER12
手形貸付金	テーマ11	第7章	CHAPTER06

第2問（20点） 解答

(1)

支 払 利 息

×4年7/31	A ［ア］	〈 240,000 〉	×4年4/1	［エ］	〈 160,000 〉
×5年3/31	B ［エ］	〈 135,000 〉	×5年3/31	B ［コ］	〈 215,000 〉
		〈 375,000 〉			〈 375,000 〉

［カ］ 利 息

×4年4/1	A ［イ］	〈 160,000 〉	×4年4/1	前期繰越	〈 160,000 〉
×5年3/31	次期繰越	〈 135,000 〉	×5年3/31	［イ］	〈 135,000 〉
		〈 295,000 〉			〈 295,000 〉
			×5年4/1	前期繰越	〈 135,000 〉

(2)

商 品 有 高 帳

×4年		摘 要	受 入			払 出			残 高		
			数量	単価	金額	数量	単価	金額	数量	単価	金額
11	1	前月繰越	5,000	210	1,050,000	A			5,000	210	1,050,000
	8	仕 入	2,000	217	434,000				7,000	212	1,484,000 A
	12	売 上			A	5,500	212	1,166,000	1,500	212	318,000
	21	仕 入	2,500	244	610,000				4,000	232	928,000 A
	24	仕入返品			B	800	244	195,200	3,200	229	732,800

(1)は、　　　一つにつき３点を与える。

(2)は、　　　一つにつき２点、　　　一つにつき１点を与える。合計20点。

❖ 解答への道

(1) 経過勘定

① ×3年８月１日：借入時の仕訳（前期）

（現 金 な ど）	8,000,000	（借 入 金）	8,000,000

銀行より借り入れた場合、借入金勘定（負債）の貸方に記入します。

② ×4年３月31日：前期の決算整理仕訳（未払処理）

（支 払 利 息）	160,000	（未 払 利 息）	160,000*

＊　8,000,000円 × ３％ × $\frac{8か月}{12か月}$ = 160,000円（×3年８月１日～×4年３月31日までの利息）

③　×4年４月１日：期首再振替仕訳

（未　払　利　息）	160,000	（支　払　利　息）	160,000

再振替仕訳は前期末において、費用・収益の前払い・未払い、未収・前受けを行った際に、経過勘定項目（前払、未払、未収、前受）に記録された金額を、翌期首に決算整理仕訳の貸借逆仕訳を行うことにより、費用または収益の勘定に戻す処理です。本問では、前期に属する未払利息160,000円を支払利息勘定（費用）へ戻す仕訳を行います。

④　×4年６月１日：借入時の仕訳（当期）

（現　金　な　ど）	6,000,000	（借　　入　　金）	6,000,000

銀行より借り入れた場合、借入金勘定（負債）の貸方に記入します。

⑤　×4年７月31日：借入金の返済および利息支払いの仕訳

（借　　入　　金）	8,000,000	（現　　　　金）	8,240,000
（支　払　利　息）	240,000*		

＊　8,000,000円×３％＝240,000円（１年分の支払利息）

⑥　×5年３月31日：決算整理仕訳（未払処理）

（支　払　利　息）	135,000	（未　払　利　息）	135,000*

＊　6,000,000円×2.7％×$\frac{10\text{か月}}{12\text{か月}}$＝135,000円（×4年６月１日～×5年３月31日までの利息）

新たに借り入れた借入金6,000,000円の利息のうち、当期に属する10か月分を当期の費用とする仕訳を行います。

⑦　×5年３月31日：決算振替仕訳

（損　　　　益）	215,000	（支　払　利　息）	215,000*

＊　240,000円－160,000円＋135,000円＝215,000円

決算整理後の費用および収益の各勘定残高は、損益勘定へ振り替えます。よって、支払利息勘定（費用）の残高215,000円（＝⑤240,000円－③160,000円＋⑥135,000円）を損益勘定の借方へ振り替える仕訳を行います。

⑧　勘定記入

勘定記入を完成させると、次のようになります。

支　払　利　息

×4年７/31	現　　金	〈　240,000　〉	×4年４/１	未払利息	〈　160,000　〉
×5年３/31	未払利息	〈　135,000　〉	×5年３/31	損　　益	〈　215,000　〉
		〈　375,000　〉			〈　375,000　〉

未　払　利　息

×4年４/１	支払利息	〈　160,000　〉	×4年４/１	前期繰越	〈　160,000　〉
×5年３/31	次期繰越	〈　135,000　〉	×5年３/31	支払利息	〈　135,000　〉
		〈　295,000　〉			〈　295,000　〉
			×5年４/１	前期繰越	〈　135,000　〉

ここ重要!

■費用・収益の未払い・未収、前払い・前受け

経過勘定	費用・収益の処理	
未払○○(負債)	費用	増やす
未収××(資産)	収益	
前払○○(資産)	費用	減らす
前受××(負債)	収益	

Link

出題内容	合格テキスト 合格トレーニング	スッキリわかる	簿記の教科書 簿記の問題集
経　過　勘　定	テーマ23	第14章	CHAPTER11
勘　定　記　入	テーマ26	第19章	CHAPTER12

(2) 商品有高帳

C商品の仕入れや払い出しのつど、数量、単価、金額を商品有高帳に記入します。

11月中の取引は以下のとおりです。

① 11月1日（前月繰越）

C商品の月初有高は1,050,000円（単価210円×5,000個）なので、商品有高帳に前月繰越として記入します。

商　品　有　高　帳

×4年		摘　要	受　入			払　出			残　高		
			数量	単価	金額	数量	単価	金額	数量	単価	金額
11	1	前月繰越	5,000	210	1,050,000				5,000	210	1,050,000

② 11月8日

C商品を仕入れたため、受入欄に仕入れたC商品の数量、単価、金額を記入します。移動平均法を採用しているため、残高の数量と金額は受入欄と前月繰越の残高を合算して記入し、金額を数量で割って単価を求めます。

商　品　有　高　帳

×4年		摘　要	受　入			払　出			残　高		
			数量	単価	金額	数量	単価	金額	数量	単価	金額
11	1	前月繰越	5,000	210	1,050,000				5,000	210	1,050,000
	8	仕　　入	2,000	217	434,000				7,000	212	1,484,000

11月8日（残高の金額）：1,050,000円＋434,000円＝1,484,000円

11月8日（残高の数量）：5,000個＋2,000個＝7,000個

11月8日（残高の単価）：1,484,000円÷7,000個＝@212円

③ 11月12日

C商品を売り上げたため、払出欄に売り上げたC商品の数量、単価、金額を記入します。払出欄の単価は11月８日の残高で求めた単価@212円を用います。

商 品 有 高 帳

×4年		摘 要	受 入			払 出			残 高		
			数量	単価	金額	数量	単価	金額	数量	単価	金額
11	1	前月繰越	5,000	210	1,050,000				5,000	210	1,050,000
	8	仕 入	2,000	217	434,000				7,000	212	1,484,000
	12	売 上				**5,500**	**212**	**1,166,000**	**1,500**	**212**	**318,000**

11月12日（払出の金額）：5,500個×@212円＝1,166,000円

11月12日（残高の数量）：7,000個－5,500個＝1,500個

11月12日（残高の金額）：1,500個×@212円＝318,000円

④ 11月21日

C商品を仕入れたため、受入欄に仕入れたC商品の数量、単価、金額を記入します。移動平均法を採用しているため、残高の数量と金額は受入欄と11月12日の残高を合算して記入し、金額を数量で割って単価を求めます。

商 品 有 高 帳

×4年		摘 要	受 入			払 出			残 高		
			数量	単価	金額	数量	単価	金額	数量	単価	金額
11	1	前月繰越	5,000	210	1,050,000				5,000	210	1,050,000
	8	仕 入	2,000	217	434,000				7,000	212	1,484,000
	12	売 上				5,500	212	1,166,000	1,500	212	318,000
	21	仕 入	**2,500**	**244**	**610,000**				**4,000**	**232**	**928,000**

11月21日（残高の金額）：318,000円＋610,000円＝928,000円

11月21日（残高の数量）：1,500個＋2,500個＝4,000個

11月21日（残高の単価）：928,000円÷4,000個＝@232円

⑤ 11月24日

11月21日に仕入れていたC商品を返品したため、払出欄に返品したC商品の数量、単価、金額を記入します。払出欄の単価は11月21日の仕入単価を用います。

商 品 有 高 帳

×4年		摘 要	受 入			払 出			残 高		
			数量	単価	金額	数量	単価	金額	数量	単価	金額
11	1	前月繰越	5,000	210	1,050,000				5,000	210	1,050,000
	8	仕 入	2,000	217	434,000				7,000	212	1,484,000
	12	売 上				5,500	212	1,166,000	1,500	212	318,000
	21	仕 入	2,500	244	610,000				4,000	232	928,000
	24	**仕入返品**				**800**	**244**	**195,200**	**3,200**	**229**	**732,800**

11月24日（払出の金額）：800個×@244円＝195,200円

11月24日（残高の金額）：928,000円－195,200円＝732,800円

11月24日（残高の数量）：4,000個－800個＝3,200個

11月24日（残高の単価）：732,800円÷3,200個＝@229円

Link

出題内容	合格テキスト 合格トレーニング	スッキリわかる	簿記の教科書 簿記の問題集
商品有高帳	テーマ05	第15章	CHAPTER07

第3問（35点）解答

問1

精　　算　　表　（単位：円）

勘定科目	残高試算表		修正記入		損益計算書		貸借対照表	
	借方	貸方	借方	貸方	借方	貸方	借方	貸方
現金	913,200						913,200	
現金過不足	37,800			37,800				
普通預金	660,000		18,000	150,000			528,000	
当座預金		162,000	162,000					
売掛金	2,358,000			18,000			2,340,000	
仮払消費税	1,281,600			1,281,600				
繰越商品	1,368,000		1,110,000	1,368,000			1,110,000 A	
建物	7,920,000						7,920,000	
備品	3,780,000		150,000				3,930,000 A	
土地	3,600,000						3,600,000	
買掛金		990,000						990,000
借入金		1,800,000						1,800,000
仮受消費税		1,957,800	1,957,800					
貸倒引当金		54,000	7,200					46,800 B
建物減価償却累計額		1,353,000		396,000				1,749,000
備品減価償却累計額		1,638,000		383,000				2,021,000
資本金		4,800,000						4,800,000
繰越利益剰余金		4,829,000						4,829,000
売上		19,573,000				19,573,000		
仕入	12,816,000		1,368,000	1,110,000	13,074,000 A			
給料	2,220,000				2,220,000			
通信費	45,000		36,600		81,600 A			
保険料	103,200			25,800	77,400			
支払利息	54,000			27,000	27,000			
	37,156,800	37,156,800						
雑（損）			1,200		1,200		A	
当座借越				162,000				162,000 A
貸倒引当金（戻）入				7,200		7,200		
（未払）消費税				676,200				676,200 A
減価償却費			779,000		779,000			
（前払）利息			27,000				27,000	B
（前払）保険料			25,800				25,800	
法人税、住民税及び事業税			996,000		996,000			
（未払）法人税等				996,000				996,000 B
当期純（利益）					2,324,000			2,324,000 B
			6,638,600	6,638,600	19,580,200	19,580,200	20,394,000	20,394,000

（注）雑損は雑損失でもよい。

問2

¥　（　1,909,000　）B

一つにつき3点、一つにつき2点を与える。合計35点。

❖ 解答への道

問１　精算表の作成

1 備品の購入（未処理事項）

（備　　　　品）	150,000	（普　通　預　金）	150,000

2 訂正仕訳

① 誤った仕訳

（普　通　預　金）	57,000	（売　　掛　　金）	57,000

①′ 誤った仕訳の逆仕訳

（売　　掛　　金）	57,000	（普　通　預　金）	57,000

② 正しい仕訳

（普　通　預　金）	75,000	（売　　掛　　金）	75,000

③ 訂正仕訳

上記①′の誤った仕訳の逆仕訳と上記②の正しい仕訳を相殺します。

（普　通　預　金）	18,000	（売　　掛　　金）	18,000

3 現金過不足の処理

現金過不足勘定の借方残高37,800円と、記帳漏れの通信費36,600円の差額1,200円が原因不明なため雑損（雑損失）として処理します。

（通　　信　　費）	36,600	（現　金　過　不　足）	37,800
（雑　　　　損）	1,200		

4 当座借越への振り替え

決算において、当座預金勘定が貸方残高であった場合には、当座預金勘定から当座借越勘定（負債）へ振り替えます。

（当　座　預　金）	162,000	（当　座　借　越）	162,000

5 貸倒引当金

貸倒引当金勘定の残高が売掛金期末残高の２％になるよう差額を補充します。ただし、本問は貸倒引当金残高が貸倒引当金の当期末見積額（設定額）を超過しているため、戻入を行います。

（貸　倒　引　当　金）	7,200*	（貸倒引当金戻入）	7,200

* 売掛金期末残高：2,358,000円－18,000円＝2,340,000円
　貸倒引当金の当期末見積額：2,340,000円×２％＝46,800円
　貸倒引当金戻入：54,000円－46,800円＝7,200円

ここ重要!

■貸倒れの見積り（差額補充法－決算整理）

貸倒引当金残高と見積額のいずれが大きいかにより、処理が異なります。

貸倒引当金残高＜見積額　…　貸倒引当金繰入
貸倒引当金残高＞見積額　…　貸倒引当金戻入

■貸倒引当金繰入の算式

貸倒引当金繰入＝ 売掛金・受取手形などの期末残高×貸倒実積率－貸倒引当金残高
見積額（設定額）

■貸倒引当金戻入の算式

貸倒引当金戻入＝ 貸倒引当金残高－売掛金・受取手形などの期末残高×貸倒実積率
見積額（設定額）

■貸借対照表の計上額

貸借対照表に計上される貸倒引当金の金額は、見積額（設定額）と一致します。

6 消費税の処理

税抜方式では、期中に支払った消費税を仮払消費税勘定（資産）の借方に、受け取った消費税を仮受消費税勘定（負債）の貸方に記入しています。決算において、仮払消費税と仮受消費税は相殺し、仮払消費税よりも仮受消費税の方が多かった場合には、差額を未払消費税勘定（負債）の貸方に記入します。

（仮受消費税）	1,957,800	（仮払消費税）	1,281,600
		（未払消費税）	676,200*

*　1,957,800円〈仮受消費税〉－1,281,600円〈仮払消費税〉＝676,200円

7 売上原価

期首商品棚卸高を繰越商品勘定から仕入勘定に、期末商品棚卸高を仕入勘定から繰越商品勘定に振り替え、仕入勘定で売上原価を算定します。

（仕入）	1,368,000	（繰越商品）	1,368,000*1
（繰越商品）	1,110,000*2	（仕入）	1,110,000

＊1　期首商品棚卸高（残高試算表欄の繰越商品より）
＊2　期末商品棚卸高（問題資料の決算整理事項等7より）

ここ重要!

■売上原価の計算方法

	①　仕入勘定で算定する方法	②　売上原価勘定で算定する方法
期首商品の振替え	（仕　　入）　XXX　（繰越商品）　XXX	（売上原価）　XXX　（繰越商品）　XXX
当期商品仕入高の振替え	仕訳なし	（売上原価）　XXX　（仕　　入）　XXX
期末商品の振替え	（繰越商品）　XXX　（仕　　入）　XXX	（繰越商品）　XXX　（売上原価）　XXX

①と②の違いは、期首商品と期末商品の振替えの相手勘定科目が『仕入』か『売上原価』かという点と、当期商品仕入高の振替えに関する仕訳の有無です。

8 固定資産の減価償却

（減　価　償　却　費）	779,000*3	（建物減価償却累計額）	396,000*1
		（備品減価償却累計額）	383,000*2

＊1　7,920,000円÷20年＝396,000円

＊2　3,780,000円÷10年＝378,000円

当期取得分：150,000円÷10年×$\frac{4\text{か月}}{12\text{か月}}$＝5,000円

合計：378,000円＋5,000円＝383,000円

＊3　396,000円＋383,000円＝779,000円

9 利息の前払い

次期の６か月分（×3年４月１日～×3年９月30日）を前払処理します。なお、×2年10月１日の借入時に利息を支払っており、その12か月分（×2年10月１日～×3年９月30日）の金額が支払利息54,000円となっています。

（前　払　利　息）	27,000*	（支　払　利　息）	27,000

＊　1,800,000円×３％×$\frac{6\text{か月}}{12\text{か月}}$＝27,000円

10 保険料の前払い

保険料の前払分25,800円を前払保険料に振り替えます。

（前　払　保　険　料）	25,800	（保　険　料）	25,800

11 法人税等の処理

当期の法人税、住民税及び事業税を計上します。期中に中間納付がなく仮払法人税等が計上されていないため、全額を未払法人税等として計上します。

（法人税、住民税及び事業税）	996,000*	（未　払　法　人　税　等）	996,000

＊　収益：19,573,000円＋7,200円＝19,580,200円

費用：13,074,000円＋2,220,000円＋81,600円＋77,400円＋27,000円＋1,200円＋779,000円＝16,260,200円

税引前当期純利益：19,580,200円－16,260,200円＝3,320,000円

法人税、住民税及び事業税：3,320,000円×30％〈税率〉＝996,000円

問２　備品の帳簿価額

備品取得原価：3,780,000円＋150,000円＝3,930,000円

備品減価償却累計額：1,638,000円＋383,000円＝2,021,000円

3,930,000円－2,021,000円＝1,909,000円

Link

出題内容	合格テキスト 合格トレーニング	スッキリわかる	簿記の教科書 簿記の問題集
精 算 表 の 作 成	テーマ25	第18章	CHAPTER12

参考問題1

第3問では、精算表作成問題の他に、決算整理後残高試算表作成問題や財務諸表作成問題も出題されます。本問を使用して、決算整理後残高試算表や財務諸表を作成してみましょう。

〈答案用紙① 決算整理後残高試算表〉

決算整理後残高試算表
×3年3月31日

借方	勘定科目	貸方
	現金	
	普通預金	
	売掛金	
	繰越商品	
	前払利息	
	前払保険料	
	建物	
	備品	
	土地	
	買掛金	
	借入金	
	当座借越	
	未払消費税	
	未払法人税等	
	貸倒引当金	
	建物減価償却累計額	
	備品減価償却累計額	
	資本金	
	繰越利益剰余金	
	売上	
	貸倒引当金戻入	
	仕入	
	給料	
	通信費	
	保険料	
	支払利息	
	雑損	
	減価償却費	
	法人税、住民税及び事業税	

〈解答① 決算整理後残高試算表〉

決算整理後残高試算表

×3年3月31日

借方	勘定科目	貸方
913,200	現金	
528,000	普通預金	
2,340,000	売掛金	
1,110,000	繰越商品	
27,000	前払利息	
25,800	前払保険料	
7,920,000	建物	
3,930,000	備品	
3,600,000	土地	
	買掛金	990,000
	借入金	1,800,000
	当座借越	162,000
	未払消費税	676,200
	未払法人税等	996,000
	貸倒引当金	46,800
	建物減価償却累計額	1,749,000
	備品減価償却累計額	2,021,000
	資本金	4,800,000
	繰越利益剰余金	4,829,000
	売上	19,573,000
	貸倒引当金戻入	7,200
13,074,000	仕入	
2,220,000	給料	
81,600	通信費	
77,400	保険料	
27,000	支払利息	
1,200	雑損	
779,000	減価償却費	
996,000	法人税、住民税及び事業税	
37,650,200		37,650,200

〈答案用紙②　財務諸表〉

貸借対照表

×3年3月31日　　　　(単位：円)

資産	金額		負債及び純資産	金額
現金		(　　)	買掛金	(　　)
普通預金		(　　)	借入金	(　　)
売掛金	(　　)		当座借越	(　　)
貸倒引当金	(△　　)	(　　)	未払消費税	(　　)
商品		(　　)	未払法人税等	(　　)
前払費用		(　　)	資本金	(　　)
建物	(　　)		繰越利益剰余金	(　　)
減価償却累計額	(△　　)	(　　)		
備品	(　　)			
減価償却累計額	(△　　)	(　　)		
土地		(　　)		
		(　　)		(　　)

損益計算書

×2年4月1日～×3年3月31日　　　　(単位：円)

費用	金額	収益	金額
売上原価	(　　)	売上高	(　　)
給料	(　　)	貸倒引当金戻入	(　　)
通信費	(　　)		
保険料	(　　)		
減価償却費	(　　)		
支払利息	(　　)		
雑損	(　　)		
法人税、住民税及び事業税	(　　)		
(　　)	(　　)		
	(　　)		(　　)

〈解答② 財務諸表〉

貸 借 対 照 表

×3年３月31日 (単位：円)

資　　産	金　　額		負債及び純資産	金　　額
現　　金		(913,200)	買　掛　金	(990,000)
普通預金		(528,000)	借　入　金	(1,800,000)
売　掛　金	(2,340,000)		当座借越	(162,000)
貸倒引当金	(△ 46,800)	(2,293,200)	未払消費税	(676,200)
商　　品		(1,110,000)	未払法人税等	(996,000)
前払費用		(52,800)	資　本　金	(4,800,000)
建　　物	(7,920,000)		繰越利益剰余金	(7,153,000)
減価償却累計額	(△1,749,000)	(6,171,000)		
備　　品	(3,930,000)			
減価償却累計額	(△2,021,000)	(1,909,000)		
土　　地		(3,600,000)		
		(16,577,200)		(16,577,200)

損 益 計 算 書

×2年４月１日～×3年３月31日 (単位：円)

費　　用	金　　額	収　　益	金　　額
売上原価	(13,074,000)	売　上　高	(19,573,000)
給　　料	(2,220,000)	貸倒引当金戻入	(7,200)
通　信　費	(81,600)		
保　険　料	(77,400)		
減価償却費	(779,000)		
支払利息	(27,000)		
雑　　損	(1,200)		
法人税、住民税及び事業税	(996,000)		
(当期純利益)	(2,324,000)		
	(19,580,200)		(19,580,200)

参考問題２

売上原価は、「売上原価」の行で計算する方法もあります。次の問題で確認しておきましょう。

〈問　題〉

次の決算整理事項にもとづいて精算表（一部）を作成しなさい。

決算整理事項：商品の期末棚卸高は￥1,110,000である。なお、売上原価は「売上原価」の行で計算する。

〈答案用紙〉

精　　算　　表（一部）

勘定科目	残高試算表		修正記入		損益計算書		貸借対照表	
	借方	貸方	借方	貸方	借方	貸方	借方	貸方
繰越商品	1,368,000							
仕入	12,816,000							
	37,156,800	37,156,800						
売上原価								

〈解　答〉

精　　算　　表（一部）

勘定科目	残高試算表		修正記入		損益計算書		貸借対照表	
	借方	貸方	借方	貸方	借方	貸方	借方	貸方
繰越商品	1,368,000		**1,110,000**	**1,368,000**			**1,110,000**	
仕入	12,816,000			**12,816,000**				
	37,156,800	37,156,800						
売上原価			**1,368,000**	**1,110,000**	**13,074,000**			
			12,816,000					

〈解答への道〉

売上原価とは、販売した商品の原価をいい、次の算式で計算できます。

売上原価 ＝ ①期首商品棚卸高 ＋ ②当期商品仕入高 － ③期末商品棚卸高

この売上原価の計算を指示により、売上原価勘定で行います。

① 期首商品棚卸高1,368,000円を繰越商品勘定から売上原価勘定へ振り替えます。

(売　上　原　価)	1,368,000	(繰　越　商　品)	1,368,000

② 当期商品仕入高12,816,000円を仕入勘定から売上原価勘定へ振り替えます。

(売　上　原　価)	12,816,000	(仕　　　　入)	12,816,000

③ 期末商品棚卸高1,110,000円を売上原価勘定から繰越商品勘定へ振り替えます。

(繰　越　商　品)	1,110,000	(売　上　原　価)	1,110,000

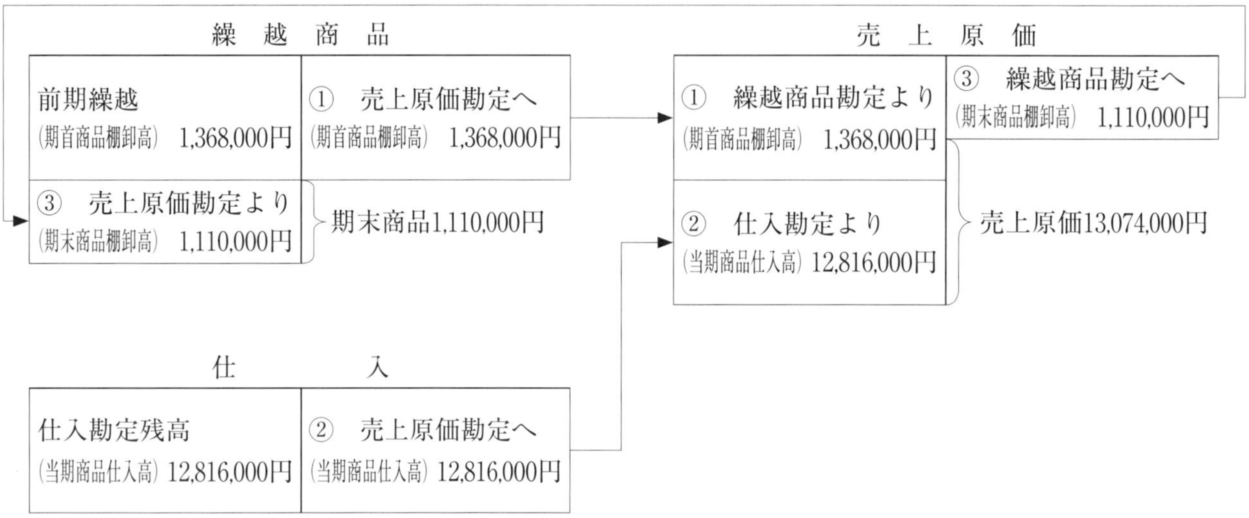

M E M O

第2回 解答解説

合《う》格《か》るタイムライン

第2回はこの順序で解こう！

準備 問題把握（5分）

「60分を効率よく使って、絶対合格！」

- 問題文全体（答案用紙も含む）をひととおりチェックしましょう。
- 基本的に配点の高い「第1問→第3問→第2問」の順で解くのがお勧めですが、苦手な項目があったら後回しにしましょう。

〈第2回の解く順〉 第1問 → 第3問 → 第2問(2) → 第2問(1)

5分

第1問（20分）

- 勘定科目の指定がある仕訳問題です。
- おおむね基本的な問題です。8割以上は正解できるようにしましょう。
  ⇒問題文や選択肢に指示やヒントが入っていることが多いため、問題をしっかり読む習慣をつけましょう。

25分

第3問（15分）

- 貸借対照表と損益計算書の作成問題です。
  ⇒すべての箇所を解答しようとするあまり、時間を余分にかけ過ぎることは避けましょう。
  ⇒未記帳事項等の反映は、通常の決算整理仕訳の前に行います。
  ⇒当期純利益、繰越利益剰余金は損益項目をすべて正答しないと得点できないため、各項目の処理で手間取るようであれば、無理に解答する必要はありません。

40分

第2問（15分）

- (2)は記入すべき補助簿を選択する問題です。
  ⇒商品売買について問われています。答案用紙の横一列を正答しないと得点にならないため、解答後にもう1回見直しましょう。
  ⇒商品売買は、商品有高帳の記入を忘れないよう注意が必要です。
- (1)は勘定記入の問題です。
  ⇒問題で与えられた勘定科目をヒントに記入します。
  ⇒固定資産台帳を読み取る問題です。残存価額、何年分償却済みかの確認を忘れずに行いましょう。
  ⇒取得年月が期中のものは、減価償却費の月割計算に注意しましょう。

55分

見直し（5分）

- わからなくて飛ばしたところをもう一度解いてみましょう。
- 「もしかしたらこうかな…」というところは必ず埋めましょう！
- 解答方法や単位にミスがないか見直しましょう。
- 最後に名前の書き忘れがないかどうか、再度確認しましょう。

試験終了 60分

第1問（45点）解答

		借方		貸方	
		記号	金額	記号	金額
A	1	（イ）	520,000	（ウ） （オ）	20,000 500,000
A	2	（エ） （ア）	25,000 40,000	（ウ）	65,000
A	3	（エ） （オ） （ア）	6,000 15,000 7,000	（ウ）	28,000
A	4	（イ）	250,000	（エ）	250,000
B	5	（イ）	5,000,000	（エ） （オ） （ア） （ウ）	225,000 100,000 750,000 3,925,000
A	6	（イ） （オ）	2,000 1,000	（エ）	3,000
A	7	（イ）	650,000	（ア） （ウ）	330,000 320,000
A	8	（エ）	420,000	（イ）	420,000
B	9	（オ） （カ）	776,000 24,000	（ウ）	800,000
A	10	（イ）	3,000	（カ）	3,000
A	11	（オ）	8,900,000	（カ）	8,900,000
A	12	（エ）	3,000,000	（ア）	3,000,000
B	13	（ウ）	480,000	（イ）	480,000
A	14	（ア） （カ）	85,000 5,000	（ウ） （エ）	85,000 5,000
B	15	（カ） （イ） （エ）	13,400 147,000 3,000	（オ）	163,400

仕訳一組につき3点を与える。合計45点。

❖ 解答への道

1 仕入（前払金・買掛金）

解答

（仕　　　　　入）	520,000	（前　　払　　金）	20,000
		（買　　掛　　金）	500,000

商品を注文したときに内金や手付金を支払うと、後日商品を引き取る権利を得るため、**前払金勘定**（資産）の**借方**に記入し、商品を仕入れたときは、その権利が消滅するため**貸方**に記入します。また、残額は掛けのため、**買掛金勘定**（負債）の**貸方**に記入します。

2 売上（他者発行商品券の受け取り）

解答

（受 取 商 品 券）	25,000	（売　　　　　上）	65,000
（売　　掛　　金）	40,000		

商品を売り上げたときは、**売上勘定**（収益）の**貸方**に記入します。また、代金として他者発行商品券を受け取ったときは、**受取商品券勘定**（資産）の**借方**に記入します。なお、残額は**売掛金勘定**（資産）の**借方**に記入します。

3 小口現金

解答

（通　　信　　費）	6,000	（現　　　　　金）	28,000
（旅 費 交 通 費）	15,000		
（消　耗　品　費）	7,000		

会計係が小口現金の支払報告を受けたときは、支払内容に合わせて該当する各種費用の勘定の**借方**に記入します。また、ただちに現金にて資金の補給を行っているため、**現金勘定**（資産）の**貸方**に記入します。

定額資金前渡制（インプレスト・システム）では、一定期間の支払額と同額を補給することで、小口現金の定額管理を行います。

4 当期発生債権の貸倒れ

解答

（貸　倒　損　失）	250,000	（売　　掛　　金）	250,000

当期に発生した売掛金が貸し倒れたときには、貸倒引当金の残高があったとしても全額**貸倒損失勘定**（費用）の**借方**に記入します。

5 給料（立替金・預り金）

解答

（給　　　　　料）	5,000,000	（従 業 員 立 替 金）	225,000
		（所 得 税 預 り 金）	100,000
		（社会保険料預り金）	750,000
		（現　　　　　金）	3,925,000

給料の前貸額は、あとで返してもらう権利として**従業員立替金勘定**（資産）の**借方**に記入します。給料の支払時に、これを差し引いたときは、**従業員立替金勘定**（資産）の**貸方**に記入します。また、給料支給総額から控除した所得税と社会保険料は、あとで支払う義務として**所得税預り金勘定**（負債）と**社会保険料預り金勘定**（負債）の**貸方**に記入します。

なお、給料から控除する預り金として、他に**住民税預り金勘定**（負債）があります。

6 現金過不足

解答

(消耗品費)	2,000	(現金)	3,000
(現金過不足)	1,000		

現金の実際有高と帳簿残高が一致していないため、この不一致額のうち、消耗品費の記帳漏れと判明している部分は**消耗品費**（費用）の**借方**に記入し、残額は**現金過不足勘定**で処理します。このとき、実際有高に帳簿残高を合わせるため、帳簿残高を増減させます。

本問では、実際有高の方が3,000円少ないので、帳簿残高を減少させます。

7 消費税（決算整理）

解答

(仮受消費税)	650,000	(仮払消費税)	330,000
		(未払消費税)	320,000*

＊ 貸借差額

仮受消費税勘定（負債）と**仮払消費税勘定**（資産）を相殺し、差額を**未払消費税勘定**（負債）で処理します。なお、決算日後２か月以内に未払消費税を納付します。

8 配当金の支払い

解答

(未払配当金)	420,000	(当座預金)	420,000

株主総会で承認された株主への配当金は後日支払われるため、**未払配当金**（負債）として**貸方**に計上されています。株主に配当金を支払ったときは、**未払配当金勘定**（負債）の**借方**に記入します。

9 手形による借入れ

解答

(当座預金)	776,000	(手形借入金)	800,000
(支払利息)	24,000*		

＊ $800{,}000円 \times 5\% \times \frac{219日}{365日} = 24{,}000円$

約束手形を振り出して借入れを行った際は、**手形借入金勘定**（負債）の**貸方**に記入します。また、利息が控除された金額を受け取っているため、利息分は**支払利息勘定**（費用）の**借方**に記入し、手取額を**当座預金勘定**（資産）の**借方**に記入します。

10 貯蔵品の期首再振替

解答

(租税公課)	3,000	(貯蔵品)	3,000

決算日において資産に振り替えた費用は、翌期首に前期の決算日に行った仕訳の逆仕訳をして振り戻します（再振替仕訳）。前期末に借方計上されていた**貯蔵品勘定**（資産）を**貸方**に記入し、**租税公課勘定**（費用）を**借方**に記入します。

11 当期純損失の振り替え

解答

(繰越利益剰余金)	8,900,000	(損益)	8,900,000

株式会社の当期純損益は、**損益勘定**で計算し、**繰越利益剰余金勘定**（資本）へ振り替えます。当期純損失であれば、損益勘定の借方残高を、繰越利益剰余金勘定の借方へ振り替えます。

12 株式の発行

解答

（当　座　預　金）	3,000,000	（資　本　金）	3,000,000*

＊　@30,000円×100株＝3,000,000円

株式会社が、あらたに株式を発行したときには、払込金額について**資本金勘定**（資本）の**貸方**に記入します。また、払込金額は当座預金に預け入れたので、**当座預金勘定**（資産）の**借方**に記入します。

13 租税公課

解答

（租　税　公　課）	480,000*	（現　金）	480,000

＊　280,000円＋200,000円＝480,000円
固定資産税　自動車税

店舗用建物に対する固定資産税と営業で使用している車両運搬具に対する自動車税を納付したときは、**租税公課勘定**（費用）の**借方**に記入します。

14 売上（売掛金・諸掛り）

解答

（売　掛　金）	85,000	（売　上）	85,000
（発　送　費）	5,000	（現　金）	5,000

商品を掛けで売り上げたときは、**売掛金勘定**（資産）の**借方**に記入するとともに、**売上勘定**（収益）の**貸方**に記入します。また、当社負担の発送運賃は、当社の費用となるため**発送費勘定**（費用）の**借方**に記入します。

15 売上（証ひょう・クレジット売掛金・支払手数料）

解答

（現　金）	13,400	（売　上）	163,400
（クレジット売掛金）	147,000*2		
（支　払　手　数　料）	3,000*1		

＊1　163,400円－13,400円＝150,000円
150,000円×２％＝3,000円
＊2　150,000円－3,000円＝147,000円

売上集計表に記載された売上高163,400円のうち、クレジット決済額については、クレジット売掛金として売掛金と区別した上で借方に記入します。また、クレジット会社に対する手数料の支払額は**支払手数料勘定**（費用）として**借方**に記入しますが、本問では販売時に計上しているため、クレジット決済額150,000円から手数料3,000円を差し引いた残額を**クレジット売掛金勘定**（資産）として**借方**に記入します。

Link

出題内容	合格テキスト 合格トレーニング	スッキリわかる	簿記の教科書 簿記の問題集
仕入 （前払金・買掛金）	テーマ04	第2、8章	CHAPTER02、06
受取商品券	テーマ04	第8章	CHAPTER06
小口現金	テーマ07	第5章	CHAPTER03
貸倒れ	テーマ19	第10章	CHAPTER11
給料（立替金・預り金）	テーマ13	第8章	CHAPTER06
現金過不足	テーマ17	第3章	CHAPTER03
消費税（決算整理）	テーマ30	第13章	CHAPTER11
配当金の支払い	テーマ29	第12章	CHAPTER12
手形による借入れ	テーマ11	第7章	CHAPTER06
貯蔵品	テーマ21	第9章	CHAPTER11
当期純損失の振り替え	テーマ29	第19章	CHAPTER12
株式の発行	テーマ28	第12章	CHAPTER06
租税公課	テーマ21	第9章	CHAPTER06
売上（売掛金・諸掛り）	テーマ04、05	第2章	CHAPTER02
売上 （証ひょう・クレジット売掛金・支払手数料）	テーマ04、08、31	第2、17章	CHAPTER02、13

第2問（20点）解答

⑴

備　　品

日付	摘要		金額	日付	摘要	金額	
×6年4/1	前期繰越	[A]	(5,340,000)	×7年3/31	次期繰越	(7,740,000)	[A]
×6年10/10	現　金	[A]	(2,400,000)				
			(7,740,000)			(7,740,000)	
×7年4/1	前期繰越		(7,740,000)				

減価償却累計額

日付	摘要	金額	日付	摘要	金額	
×7年3/31	次期繰越	(1,728,750)	×6年4/1	前期繰越	(888,750)	[A]
			×7年3/31	[ウ]	(840,000)	[A]
		(1,728,750)			(1,728,750)	
			×7年4/1	前期繰越	(1,728,750)	

損　　益

日付		摘要	金額	日付	摘要	金額
×7年3/31		売上原価	4,650,000	×7年3/31	売　上	8,280,000
〃		減価償却費	(840,000)	〃	その他収益	720,000
〃		その他費用	1,830,000			
〃	[B]	[カ]	(1,680,000)			
			(9,000,000)			(9,000,000)

⑵

		現金出納帳	当座預金出納帳	受取手形記入帳	支払手形記入帳	得意先元帳	仕入先元帳	仕入帳	売上帳	商品有高帳
[B]	1				○		○	○		○
[B]	2	○		○		○			○	○
[A]	3						○			
[A]	4	○				○				
[A]	5					○			○	○

⑴は、　　　一つにつき２点を与える。

⑵は、横一列完答で１・２は各１点、３～５は各２点を与える。合計20点。

❖ 解答への道

(1)　勘定記入（固定資産）

本問で示された固定資産台帳は、当期末の決算時（×7年３月31日）に作成したもので、期末に所有する備品の種類ごとに取得原価や減価償却費等の内訳明細を示します。

1 取得原価

取得時に計上した購入代価と付随費用の合計で、前期以前に取得したものは「期首取得原価」、当期中に取得したものは「(期中取得）取得原価」で計上されています。

2 期首減価償却累計額

当期首時点の減価償却累計額で、取得日から当期首までの減価償却費の総額です。当期中に取得したものは、期首時点で減価償却が行われていないためゼロです。

3 当期減価償却費

当期の決算で計上した減価償却費の金額です。当期中に取得したものは、月割計算で取得日から決算日までの金額を計上します。

① Ａの減価償却費：990,000円〈Ａの期首取得原価〉÷６年〈Ａの耐用年数〉＝165,000円

② Ｂの減価償却費：4,350,000円〈Ｂの期首取得原価〉÷10年〈Ｂの耐用年数〉＝435,000円

③ Ｃの減価償却費：

$$2{,}400{,}000\text{円〈Cの期中取得原価〉} \div 5\text{年〈Cの耐用年数〉} \times \frac{6\text{か月}(\times 6\text{年}10/10 \sim \times 7\text{年}3/31)}{12\text{か月}} = 240{,}000\text{円}$$

4 備品勘定・減価償却累計額勘定・損益勘定

備品勘定・減価償却累計額勘定・損益勘定の各金額は以下のとおりです。

① 備品勘定の金額

×6年４/１　前期繰越：990,000円〈Ａの期首取得原価〉＋4,350,000円〈Ｂの期首取得原価〉＝**5,340,000円**

×6年10/10　現　　金：**2,400,000円**〈Ｃの期中取得原価〉

×7年３/31　次期繰越：990,000円〈Ａの期首取得原価〉＋4,350,000円〈Ｂの期首取得原価〉＋2,400,000円〈Ｃの期中取得原価〉＝**7,740,000円**

② 減価償却累計額勘定の金額

貸方の勘定科目が空欄になっているものには「**ウ．減価償却費**」を記入します。

Ｂの期首減価償却累計額が「？」となっているため、計算して求めます。

×5年４月１日～×6年３月31日におけるＢの減価償却費：4,350,000円÷10年＝435,000円〈Ｂの期首減価償却累計額〉

×6年４/１　前期繰越：453,750円〈Ａの期首減価償却累計額〉＋435,000円〈Ｂの期首減価償却累計額〉＝**888,750円**

×7年３/31　**減価償却費**：165,000円〈Ａの当期減価償却費〉＋435,000円〈Ｂの当期減価償却費〉＋240,000円〈Ｃの当期減価償却費〉＝**840,000円**

次期繰越：888,750円〈前期繰越〉＋840,000円〈減価償却費〉＝**1,728,750円**

③ 損益勘定の金額

借方の勘定科目が空欄になっているものには「**カ．繰越利益剰余金**」を記入します。

×7年３/31　減価償却費：165,000円〈Ａの当期減価償却費〉＋435,000円〈Ｂの当期減価償却費〉＋240,000円〈Ｃの当期減価償却費〉＝**840,000円**

繰越利益剰余金：(8,280,000円＋720,000円)〈損益勘定の貸方合計〉－(4,650,000円＋840,000円＋1,830,000円)〈損益勘定の借方合計(繰越利益剰余金以外)〉＝**1,680,000円**

5 勘定記入

勘定記入を完成させると、次のようになります。

備　品

×6年4/1	前期繰越	5,340,000	×7年3/31	次期繰越	7,740,000
×6年10/10	現金	2,400,000			
		7,740,000			7,740,000
×7年4/1	前期繰越	7,740,000			

減価償却累計額

×7年3/31	次期繰越	1,728,750	×6年4/1	前期繰越	888,750
			×7年3/31	減価償却費	840,000
		1,728,750			1,728,750
			×7年4/1	前期繰越	1,728,750

損　益

×7年3/31	売上原価	4,650,000	×7年3/31	売上	8,280,000
〃	減価償却費	840,000	〃	その他収益	720,000
〃	その他費用	1,830,000			
〃	繰越利益剰余金	1,680,000			
		9,000,000			9,000,000

Link

出題内容	合格テキスト 合格トレーニング	スッキリわかる	簿記の教科書 簿記の問題集
固定資産台帳	テーマ12、20	第11、15章	CHAPTER05、07、11
勘定記入	テーマ26	第19章	CHAPTER12

(2) 補助簿の選択

各取引について仕訳し、その勘定科目から記入する帳簿を判断します。仕入や売上に関する取引は、商品有高帳に記入することに注意します。

1. 仕入帳◀ 商品有高帳◀	(仕　　　入)	300,000	(前　払　金)	30,000	
			(支 払 手 形)	105,000	▶支払手形記入帳
			(買　掛　金)	165,000	▶仕入先元帳
2. 受取手形記入帳◀	(受 取 手 形)	420,000	(売　　　上)	570,000	▶売上帳 ▶商品有高帳
得意先元帳◀	(売　掛　金)	150,000			
	(発　送　費)	1,500	(現　　　金)	1,500	▶現金出納帳
3. 仕入先元帳◀	(買　掛　金)	60,000	(受取手数料)	9,000	
			(現金過不足)	51,000	
4. 現金出納帳◀	(現　　　金)	600,000	(売　掛　金)	600,000	▶得意先元帳
5. 売上帳◀ 商品有高帳◀	(売　　　上)	18,000	(売　掛　金)	18,000	▶得意先元帳

Link

出題内容	合格テキスト 合格トレーニング	スッキリわかる	簿記の教科書 簿記の問題集
帳　　簿	テーマ14	第15章	CHAPTER07

第3問（35点） 解答

損益計算書

A ×5年（4）月（1）日～×6年（3）月（31）日　　（単位：円）

費用	金額	収益	金額
売上原価	（A 26,208,000）	売上高	（40,956,000）
給料	1,041,000	受取手数料	（3,928,700）
広告宣伝費	（1,830,000）		
支払家賃	（2,033,000）		
法定福利費	（1,630,460）		
貸倒引当金繰入	（A 42,020）		
減価償却費	（B 3,052,500）		
支払利息	1,082,000		
法人税、住民税及び事業税	（2,460,000）		
当期純利益	（B 5,505,720）		
	（44,884,700）		（44,884,700）

貸借対照表

×6年（3）月（31）日　　（単位：円）

資産	金額		負債及び純資産	金額
現金		29,160,000	支払手形	7,849,000
普通預金		（A 8,349,000）	買掛金	（A 7,271,100）
当座預金		12,676,000	借入金	9,120,000
受取手形	（5,779,000）		社会保険料預り金	124,900
貸倒引当金	（△ 86,685）	（5,692,315）	未払費用	（A 139,460）
売掛金	（9,829,000）		未払消費税	（1,390,900）
貸倒引当金	（△ 147,435）	（B 9,681,565）	未払法人税等	（A 1,210,000）
商品		（3,474,000）	資本金	36,563,000
前払費用		（B 2,033,000）	繰越利益剰余金	（15,620,720）
未収収益		（A 175,700）		
備品	13,875,000			
減価償却累計額	（△ 5,827,500）	（8,047,500）		
		（79,289,080）		（79,289,080）

一つにつき３点、　一つにつき２点を与える。合計35点。

❖ 解答への道

1 仮払金の整理

買掛金の支払いであったことが判明したため、全額、買掛金勘定の減少として処理します。

（買　　掛　　金）　1,530,900　　（仮　　払　　金）　1,530,900

※　B/S買掛金：8,802,000円－1,530,900円＝7,271,100円

2 商品売上（未処理事項）

商品の売上が未処理であったため、売上勘定と仮受消費税勘定の貸方に計上し、合計額を売掛金勘定の借方に計上します。

（売　　掛　　金）	220,000	（売　　　　上）	200,000
		（仮 受 消 費 税）	20,000*

＊　200,000円×10%＝20,000円

※　P／L売上高：40,756,000円＋200,000円＝40,956,000円

※　B／S売掛金：9,609,000円＋220,000円＝9,829,000円

3 広告宣伝費の支払い（未処理事項）

広告宣伝費を支払っていたことが判明したため、広告宣伝費勘定の増加として処理します。

（広 告 宣 伝 費）	57,000	（普 通 預 金）	57,000

※　P／L広告宣伝費：1,773,000円＋57,000円＝1,830,000円

※　B／S普通預金：8,406,000円－57,000円＝8,349,000円

4 貸倒引当金の設定

貸倒引当金勘定の残高が、売上債権（受取手形と売掛金）期末残高の1.5%になるように、差額を補充します。

（貸倒引当金繰入）	42,020*	（貸 倒 引 当 金）	42,020

＊　（前T／B受取手形5,779,000円＋前T／B売掛金9,609,000円＋220,000円）×1.5%＝見積額234,120円
234,120円－前T／B貸倒引当金192,100円＝繰入額42,020円

※　B／S貸倒引当金（受取手形）：5,779,000円×1.5%＝86,685円

※　B／S貸倒引当金（売掛金）：9,829,000円×1.5%＝147,435円

ここ重要!

■貸倒引当金繰入の算式（P／L）

貸倒引当金繰入＝ 売掛金・受取手形などの期末残高×貸倒実績率－貸倒引当金残高

（売掛金・受取手形などの期末残高×貸倒実績率：見積額（設定額））

■貸借対照表の計上額（B／S）

貸借対照表に計上される貸倒引当金の金額は、見積額（設定額）と一致します。

5 売上原価の計算

期首商品棚卸高を繰越商品勘定から仕入勘定に、期末商品棚卸高を仕入勘定から繰越商品勘定に振り替え、仕入勘定で売上原価を算定します。

（仕　　　　入）	2,635,000*	（繰 越 商 品）	2,635,000
（繰 越 商 品）	3,474,000	（仕　　　　入）	3,474,000

＊　前T／B繰越商品（期首商品棚卸高）

※　P／L売上原価：2,635,000円＋27,047,000円－3,474,000円＝26,208,000円

ここ重要!

■売上原価の算定

売上原価＝期首商品棚卸高＋当期商品仕入高－期末商品棚卸高

■仕入勘定の区別

	決算整理「前」残高試算表	決算整理「後」残高試算表
仕入勘定の意味	当期商品仕入高	売上原価

6 備品の減価償却

備品について、定額法による減価償却を行います。なお、残存価額は０（ゼロ）のため、取得原価を耐用年数で除して計算します。

（減　価　償　却　費）　3,052,500*　（備品減価償却累計額）　3,052,500

＊　備品Ａ：11,100,000円÷４年＝2,775,000円

備品Ｂ：2,775,000円÷５年×$\frac{6\text{か月}}{12\text{か月}}$＝277,500円

合　計：2,775,000円＋277,500円＝3,052,500円

※　Ｂ/Ｓ減価償却累計額：2,775,000円＋3,052,500円＝5,827,500円

7 収益の未収

手数料の未収分を未収手数料として処理します。

（未　収　手　数　料）　175,700　（受　取　手　数　料）　175,700

※　Ｐ/Ｌ受取手数料：3,753,000円＋175,700円＝3,928,700円

8 費用の前払い

支払家賃勘定の残高4,066,000円は、当期（×5年10月１日）に支払った12か月分（×5年10月１日～×6年９月30日）です。したがって、次期の６か月分（×6年４月１日～×6年９月30日）を前払家賃として処理します。

（前　払　家　賃）　2,033,000*　（支　払　家　賃）　2,033,000

＊　前Ｔ/Ｂ支払家賃4,066,000円×$\frac{6\text{か月}}{12\text{か月}}$＝前払額2,033,000円

※　Ｐ/Ｌ支払家賃：4,066,000円－2,033,000円＝2,033,000円

9 費用の未払い

法定福利費の未払分を未払法定福利費として処理します。

（法　定　福　利　費）　139,460　（未払法定福利費）　139,460

※　Ｐ/Ｌ法定福利費：1,491,000円＋139,460円＝1,630,460円

ここ重要!

■費用・収益の未払い・未収、前払い・前受け

経過勘定	費用・収益の処理	
未払○○(負債)	費用	増やす
未収××(資産)	収益	
前払○○(資産)	費用	減らす
前受××(負債)	収益	

10 消費税の処理（税抜処理）

仮受消費税（負債）と仮払消費税（資産）を相殺して、未払消費税（負債）を計算します。

（仮受消費税）	4,095,600*1	（仮払消費税）	2,704,700
		（未払消費税）	1,390,900*2

＊1　4,075,600円＋20,000円＝4,095,600円
＊2　4,095,600円－2,704,700円＝1,390,900円

11 法人税等の処理

当期の法人税、住民税及び事業税を計上します。期中に仮払法人税等が計上されている場合には、これを取り崩し、残額を未払法人税等として計上します。

（法人税、住民税及び事業税）	2,460,000	（仮払法人税等）	1,250,000
		（未払法人税等）	1,210,000*

＊　2,460,000円－前T/B仮払法人税等1,250,000円＝1,210,000円

12 損益計算書および貸借対照表

決算整理前残高試算表の金額と、仕訳の金額を加減算した修正後の勘定残高を資産・負債・純資産（資本)、および収益・費用に分類します。資産・負債・純資産（資本）は貸借対照表へ、収益・費用は損益計算書へ記入します。

(1)　損益計算書記入上の注意

①　表題下に「会計期間」を表示します。
②「売上」勘定残高は、「売上高」と表示します。
③「仕入」勘定残高は、「売上原価」と表示します。
④　貸借差額を当期純損益として表示します。
　当期純利益：収益合計44,884,700円－費用合計39,378,980円＝5,505,720円

(2)　貸借対照表記入上の注意

①　表題下に「決算日」を表示します。
②「貸倒引当金」勘定残高は、資産の「売掛金」「受取手形」から個別に控除する形式で表示します。なお、以下のように、売上債権の合計額から一括して控除する方法などもありますので、答案用紙の形式には注意しましょう。

受取手形	5,779,000	
売掛金	9,829,000	
貸倒引当金	△ 234,120	15,373,880

③「繰越商品」勘定残高は、「商品」と表示します。
④　費用の前払額は「前払費用」、収益の前受額は「前受収益」、費用の未払額は「未払費用」、収益の未

収額は「未収収益」と表示します。

⑤ 「備品減価償却累計額」勘定残高は、資産の「備品」から控除する形式で表示します。なお、複数の有形固定資産を所有している場合は、それぞれの有形固定資産から控除する形式で表示しますが、複数の有形固定資産の合計額から減価償却累計額の合計額を一括して控除する方法などもあります。

⑥ 「繰越利益剰余金」は前T/Bの金額に当期純利益を加算した金額を表示します。

繰越利益剰余金：前T/B 10,115,000円＋5,505,720円＝15,620,720円

Link

出題内容	合格テキスト 合格トレーニング	スッキリわかる	簿記の教科書 簿記の問題集
財務諸表の作成	テーマ27	第18章	CHAPTER12

MEMO

第3回　解答解説

合《う》格《か》るタイムライン

第３回はこの順序で解こう！

準備　問題把握　(5分)

「60分を効率よく使って、絶対合格！」

■問題文全体（答案用紙も含む）をひととおりチェックしましょう。

■基本的に配点の高い「第１問→第３問→第２問」の順で解くのがお勧めですが、苦手な項目があったら後回しにしましょう。

〈第３回の解く順〉 第１問 → 第3問 → 第２問(1) → 第２問(2)

5分

第１問　(20分)

■勘定科目の指定がある仕訳問題です。

■おおむね基本的な問題です。８割以上は正解できるようにしましょう。

■ＩＣカードの証ひょう問題は、資料から過去に行った仕訳をイメージしながら解くようにしましょう。

25分

第３問　(15分)

■決算整理後残高試算表の作成問題です。

⇒すべての箇所を解答しようとするあまり、時間をかけ過ぎることは避けましょう。

⇒資産・負債・資本（純資産）・収益・費用の項目別に区切りを入れるとよいでしょう。

⇒貸倒引当金の設定や減価償却費の計上、支払家賃の前払い処理などの基本的な決算整理事項が問われていますので、必ず正解できるようにしましょう。

40分

第２問　(15分)

■(1)は法人税等勘定に関する勘定記入の問題です。

⇒法人税等の計上から、確定申告、中間申告などの一連の流れが問われています。

⇒問題資料を仕訳してから勘定記入を考えるとケアレスミスを防ぐことができます。

■(2)は売掛金勘定と得意先元帳の記入問題です。

⇒日付や取引内容から売掛金勘定と得意先元帳のつながりを推測して、記入します。

55分

見直し　(5分)

■わからなくて飛ばしたところをもう一度解いてみましょう。

■「もしかしたらこうかな…」というところは必ず埋めましょう！

■解答方法や単位にミスがないか見直しましょう。

■最後に名前の書き忘れがないかどうか、再度確認しましょう。

試験終了　60分

第1問（45点）解答

		借方		貸方	
		記号	金額	記号	金額
A	1	（ カ ） （ ウ ）	150,000 15,000	（ イ ） （ オ ）	44,000 121,000
A	2	（ カ ）	720,000	（ ア ） （ イ ）	400,000 320,000
B	3	（ エ ） （ イ ） （ カ ）	100,000 336,000 6,000	（ オ ） （ ア ）	436,000 6,000
A	4	（ ウ ） （ オ ）	11,000 6,000	（ エ ）	17,000
B	5	（ オ ） （ カ ）	5,928,000 72,000	（ ウ ）	6,000,000
A	6	（ イ ）	166,000	（ カ ）	166,000
A	7	（ エ ）	2,000,000	（ ア ）	2,000,000
B	8	（ カ ）	2,550,000	（ イ ） （ ア ）	2,500,000 50,000
A	9	（ エ ）	400,000	（ オ ）	400,000
A	10	（ イ ） （ カ ）	420,000 330,000	（ オ ）	750,000
A	11	（ ア ）	2,200,000	（ イ ） （ オ ）	200,000 2,000,000
B	12	（ オ ） （ ア ）	800,000 1,000,000	（ ウ ）	1,800,000
A	13	（ カ ）	1,650,000	（ ア ）	1,650,000
A	14	（ ア ）	270,000	（ イ ） （ カ ）	70,000 200,000
B	15	（ エ ）	9,000	（ ア ）	9,000

仕訳一組につき3点を与える。合計45点。

❖ 解答への道

1 仕入（前払金・買掛金・消費税）

解答

(仕　　　　　入)	150,000	(前　　払　　金)	44,000
(仮 払 消 費 税)	15,000*	(買　　掛　　金)	121,000

＊　150,000円×10％＝15,000円
　　または、貸借差額

商品を注文したときに内金や手付金を支払うと、後日商品を引き取る権利を得るため、**前払金勘定**（資産）の**借方**に記入し、商品を仕入れたときは、その権利が消滅するため**貸方**に記入します。また、代金は掛けのため、**買掛金勘定**（負債）の**貸方**に記入します。そして、商品を仕入れたときに支払った消費税額は、**仮払消費税勘定**（資産）で処理します。

2 法人税額の確定

⑴　中間申告を行ったとき
期中に中間申告を行ったときは、**仮払法人税等勘定**（資産）の**借方**に記入します。

(仮 払 法 人 税 等)	400,000	(現　　　　金)	400,000

⑵　法人税額が確定したとき（本問）
法人税額が確定したときは、**法人税、住民税及び事業税勘定**（費用）の**借方**に記入します。なお、期中に中間申告をしていたときに計上していた仮払法人税等を取り崩すために、**仮払法人税等勘定**（資産）の**貸方**に記入します。また、法人税等の確定額と仮払法人税等の差額は、**未払法人税等勘定**（負債）の**貸方**に記入します。

解答

(法人税、住民税及び事業税)	720,000	(仮 払 法 人 税 等)	400,000
		(未 払 法 人 税 等)	320,000*

＊　貸借差額

3 売上（前受金・受取手形・発送費）

解答

(前　　受　　金)	100,000	(売　　　　上)	436,000
(受　取　手　形)	336,000*		
(発　　送　　費)	6,000	(現　　　　金)	6,000

＊　436,000円－100,000円＝336,000円

商品を送料込みで売り渡しているため、送料込みの金額で**売上勘定**（収益）の貸方に計上するとともに、発送運賃は費用処理するため、**発送費勘定**（費用）の**借方**に記入します。

また、商品の注文を受けた際に受け取った手付金や内金は、後日商品を引き渡す義務として、**前受金勘定**（負債）の**貸方**に記入しているので、商品の引渡時には、その義務が消滅するため**前受金勘定**の**借方**に記入します。

なお、他社振出しの約束手形を受け取ったときは、手形代金を受け取る権利が生じるので、手形債権の増加として、**受取手形勘定**（資産）の**借方**に記入します。

【参　考】

問題文で、発送費が当社負担とされていた場合、本問の仕訳は次のようになります。

（問題文例）

富山商事へ商品430,000円を売り上げ、代金については注文時に同社から受け取った手付金100,000円と相殺し、残額については同社振出しの約束手形を受け取った。なお、当社負担の発送費6,000円は現金で支払った。

（前　受　金）	100,000	（売　上）	430,000
（受　取　手　形）	330,000		
（発　送　費）	6,000	（現　金）	6,000

4 通信費と租税公課

解答

（通　信　費）	11,000	（現　金）	17,000
（租　税　公　課）	6,000		

郵便切手を購入したときは、**通信費勘定**（費用）の**借方**に記入します。また、収入印紙を購入したときは、**租税公課勘定**（費用）の**借方**に記入します。

5 手形による借入れ

解答

（当　座　預　金）	5,928,000	（手　形　借　入　金）	6,000,000
（支　払　利　息）	72,000*		

＊　6,000,000円×３％×$\frac{146日}{365日}$＝72,000円

約束手形を振り出して借入れを行った際は、**手形借入金勘定**（負債）の**貸方**に記入します。また、利息を控除された金額を受け取っているため、利息分は**支払利息勘定**（費用）の**借方**に記入し、手取額を**当座預金勘定**（資産）の**借方**に記入します。

6 クレジット売掛金の決済

解答

（普　通　預　金）	166,000	（クレジット売掛金）	166,000

クレジット売掛金を決済したときには、**クレジット売掛金勘定**（資産）の**貸方**に記入します。

7 株式の発行

解答

（当　座　預　金）	2,000,000	（資　本　金）	2,000,000*

＊　@400円×5,000株＝2,000,000円

株式会社が、あらたに株式を発行したときには、払込金額について**資本金勘定**（資本）の**貸方**に記入します。また、払込金額は当座預金に預け入れたので、**当座預金勘定**（資産）の**借方**に記入します。

8 貸付金の回収

解答

（現　金）	2,550,000	（貸　付　金）	2,500,000
		（受　取　利　息）	50,000*

＊　2,500,000円×４％×$\frac{6か月}{12か月}$＝50,000円

他社振出しの小切手を受け取ったときは、**現金勘定**（資産）の**借方**に記入します。また、貸付金を回収したときは、資産の減少として**貸付金勘定**（資産）の**貸方**に記入します。なお、利息は収益の発生として**受取利息勘定**（収益）の**貸方**に記入します。

9 電子記録債権の発生

解答

（電子記録債権）	400,000	（売掛金）	400,000

売掛金に代えて電子記録債権の発生記録を行った場合には、**売掛金勘定**（資産）から**電子記録債権勘定**（資産）の**借方**に振り替えます。

10 貸倒れ

解答

（貸倒引当金）	420,000	（売掛金）	750,000
（貸倒損失）	330,000*		

＊ （510,000円－420,000円）＋240,000円＝330,000円

売掛金を貸倒れとして処理するときは、**売掛金勘定**（資産）の**貸方**に記入します。前期販売分の売掛金が貸し倒れたときは、**貸倒引当金勘定**（資産のマイナス）に残高があれば**借方**に記入して相殺（充当）し、不足する金額については**貸倒損失勘定**（費用）の**借方**に記入します。そして、当期販売分の売掛金が当期中に貸し倒れた場合には、全額を**貸倒損失勘定**の**借方**に記入します。

11 剰余金の配当

解答

（繰越利益剰余金）	2,200,000	（利益準備金）	200,000
		（未払配当金）	2,000,000

剰余金の配当を決定したときは、**繰越利益剰余金勘定**（資本）の**借方**に、利益準備金の積立額と株主配当金の合計額を記入します。また、利益準備金を積み立てたので、**利益準備金勘定**（資本）の**貸方**に記入します。なお、株主総会において配当することを決定しただけで配当金の支払いは後日行うため、**未払配当金勘定**（負債）の**貸方**に株主配当金の金額を記入します。

12 賃貸借契約の解除

解答

（修繕費）	800,000	（差入保証金）	1,800,000
（普通預金A銀行）	1,000,000		

預金口座を銀行口座別に管理する場合、各預金勘定に銀行名（本問ではA銀行）を付けた勘定科目を用います。

契約時に支払った**差入保証金**（資産）は**借方**に記入しているため、契約を解除し返金されたときは**貸方**に記入し、金額を取り崩します。

このとき、賃貸借物件の原状回復のために借主が負担すべき費用（物件の修理代など）は**修繕費勘定**（費用）の**借方**に記入します。

13 当期純利益の振り替え

解答

（損益）	1,650,000	（繰越利益剰余金）	1,650,000

株式会社の当期純利益は、**損益勘定**で計算し、**繰越利益剰余金勘定**（資本）に振り替えます。

14 仮受金の精算

解答

（仮受金）	270,000	（前受金）	70,000
		（売掛金）	200,000

内容の不明な入金があったときには、一時的に**仮受金勘定**（負債）の**貸方**に記入し、後日その内容が判明したときに該当する勘定へ振り替えます。なお、商品の手付金を受け取ったときは、**前受金勘定**（負債）の**貸方**に記入し、売掛金を回収したときは、**売掛金勘定**（資産）の**貸方**に記入します。

15 仮払金の精算（証ひょう・旅費交通費）

解答

（旅費交通費）	9,000*	（仮払金）	9,000

＊　旅費交通費（利用明細より）：32,000円〈２月16日残高〉－23,000円〈２月22日残高〉＝9,000円（利用額）

２月16日に30,000円をチャージした際、**仮払金勘定**（資産）の**借方**に記入しており、本日（２月22日）、提出されたＩＣカードの利用明細にもとづいて**旅費交通費勘定**（費用）に振り替えます。

Link

出題内容	合格テキスト 合格トレーニング	スッキリわかる	簿記の教科書 簿記の問題集
仕入 （前払金・買掛金・消費税）	テーマ04、30	第２、８、13章	CHAPTER02、06
法人税等	テーマ30	第13章	CHAPTER11
売上 （前受金・受取手形・発送費）	テーマ04、05、09	第２、６、８章	CHAPTER02、04、06
通信費・租税公課	テーマ21	第９章	CHAPTER11
手形による借入れ	テーマ11	第７章	CHAPTER06
クレジット売掛金の決済	テーマ08	第２章	CHAPTER02
株式の発行	テーマ28	第12章	CHAPTER06
貸付金の回収	テーマ11	第７章	CHAPTER06
電子記録債権の発生	テーマ10	第６章	CHAPTER04
貸倒れ	テーマ19	第10章	CHAPTER11
剰余金の配当	テーマ29	第12章	CHAPTER12
賃貸借契約の解除	テーマ12	第８章	CHAPTER06
当期純利益の振り替え	テーマ26	第19章	CHAPTER12
仮受金の精算	テーマ13	第８章	CHAPTER06
仮払金の精算 （証ひょう・旅費交通費）	テーマ13、31	第８、17章	CHAPTER06、13

第2問 （20点） 解答

(1)

法人税等

×7年3/31	A [コ]	(1,830,000)	×7年3/31	[イ]	(1,830,000)

仮払法人税等

×6年11/28	[エ]	(630,000)	×7年3/31	A [ア]	(630,000)

未払法人税等

×6年5/29	A [ウ]	(1,260,000)	×6年4/1	[ク]	(1,260,000)
×7年3/31	B [ケ]	(1,200,000)	×7年3/31	[ア]	(1,200,000)
		(2,460,000)			(2,460,000)

損　　益

×7年3/31	仕　入	12,600,000	×7年3/31	売　上	22,150,000
〃	給　料	2,900,000			
〃	支払家賃	550,000			
〃	A [ア]	(1,830,000)			
〃	A [キ]	(4,270,000)			
		(22,150,000)			(22,150,000)

(2)

① A	② A	③ A	④ B
80,000	5,000	60,000	22,000

(1)は　　　一つにつき2点、(2)は各2点を与える。合計20点。

❖ 解答への道

(1) 勘定記入（法人税等）

前年度の決算において計上した未払法人税等は、当期に納付するまで計上します。

また、中間申告において納付した法人税等の支払額は、仮払法人税等勘定を用いて処理します。この金額は、当期の決算において計上する法人税等の納付すべき額から控除されます。

1 ×6年3月31日（×5年度決算）

前年度の決算において、次のような仕訳を行っています。

（法人税等）	1,260,000	（未払法人税等）	1,260,000

2 ×6年5月29日（法人税等の納付）

前年度に計上した未払法人税等について現金で納付します。

（未払法人税等）	1,260,000	（現金）	1,260,000

3 ×6年11月28日（中間申告）

中間申告した金額を仮払法人税等に計上します。

（仮払法人税等）	630,000	（普通預金）	630,000

4 ×7年3月31日（×6年度決算）

まず、損益勘定から、税引前当期純利益を計算し、それに税率を掛けて法人税等の金額を求めます。そして、仮払法人税等を控除した金額を未払法人税等として計上します。

（法人税等）	1,830,000*1	（仮払法人税等）	630,000
		（未払法人税等）	1,200,000*2

＊1　22,150,000円－12,600,000円－2,900,000円－550,000円＝6,100,000円〈税引前当期純利益〉
　　6,100,000円×30％＝1,830,000円

＊2　1,830,000円－630,000円＝1,200,000円

5 ×7年3月31日（決算振替）

① 収益、費用を損益勘定に振り替え、勘定を締め切ります。

（売上）	22,150,000	（損益）	22,150,000
（損益）	17,880,000	（仕入）	12,600,000
		（給料）	2,900,000
		（支払家賃）	550,000
		（法人税等）	1,830,000

② 当期純利益を繰越利益剰余金勘定に振り替えます。

（損益）	4,270,000*	（繰越利益剰余金）	4,270,000

＊　22,150,000円〈収益合計〉－17,880,000円〈費用合計〉＝4,270,000円

6 勘定記入

上記の仕訳を各勘定に記入し、各勘定を締め切ると、次のようになります。

法 人 税 等

×7年3/31	諸口	1,830,000	×7年3/31	損益	1,830,000

仮払法人税等

×6年11/28	普通預金	630,000	×7年3/31	法人税等	630,000

未払法人税等

×6年5/29	現金	1,260,000	×6年4/1	前期繰越	1,260,000
×7年3/31	次期繰越	1,200,000	×7年3/31	法人税等	1,200,000
		2,460,000			2,460,000

損　　益

×7年3/31	仕入	12,600,000	×7年3/31	売上	22,150,000
〃	給料	2,900,000			
〃	支払家賃	550,000			
〃	法人税等	1,830,000			
〃	繰越利益剰余金	4,270,000			
		22,150,000			22,150,000

Link

出題内容	合格テキスト 合格トレーニング	スッキリわかる	簿記の教科書 簿記の問題集
勘定記入	テーマ26	第19章	CHAPTER12
法人税等	テーマ30	第13章	CHAPTER11

(2) 売掛金勘定と得意先元帳

総勘定元帳の売掛金勘定と、得意先元帳から、それぞれの空欄を推定します。

1 9月中の取引

9月中の取引は以下のとおりです。日付ごとにどちらの取引先と行った取引なのか推測します。

① 9月1日（前月繰越）

売掛金の前月繰越が90,000円なので、神奈川商店に対する売掛金の前月繰越10,000円を差し引いた金額が埼玉商店に対する売掛金の前月繰越となります。

埼玉商店（前月繰越）：90,000円－10,000円＝**80,000円**…①

② 9月3日

（当座預金）	3,000	（売掛金・神奈川商店）	3,000

③ 9月6日

（売掛金・埼玉商店）	90,000	（売上）	90,000

④ 9月7日

（現金）	80,000	（売掛金・埼玉商店）	80,000

⑤ 9月8日

（売掛金・神奈川商店）	50,000	（売上）	50,000

⑥ 9月12日

（当座預金）	40,000	（売掛金・神奈川商店）	40,000

⑦ 9月15日

（現金）	52,000	（売掛金・埼玉商店）	52,000

⑧ 9月21日

（売掛金・神奈川商店）	70,000	（売上）	70,000

⑨ 9月22日

（売上）	5,000	（売掛金・神奈川商店）	5,000

神奈川商店（9月22日　返品）：**5,000円**…②

⑩ 9月28日

（当座預金）	60,000	（売掛金・神奈川商店）	60,000

売掛金勘定（9月28日　当座預金）：**60,000円**…③

⑪　9月30日（次月繰越）

得意先元帳の貸借差額から、次月繰越を求めます。

得意先元帳

神奈川商店

9/1	前月繰越	10,000	9/3	回収	（3,000）
8	売上	（50,000）	12	回収	（40,000）
21	売上	（70,000）	22	返品	（5,000）
			28	回収	60,000
			30	次月繰越	（**22,000**）
		（**130,000**）			（**130,000**）

埼玉商店

9/1	前月繰越	（80,000）	9/7	回収	（80,000）
6	売上	90,000	15	回収	52,000
			30	次月繰越	（**38,000**）
		（**170,000**）			（**170,000**）

神奈川商店の借方合計：10,000円＋50,000円＋70,000円＝130,000円
神奈川商店の次月繰越以外の貸方合計：3,000円＋40,000円＋5,000円＋60,000円＝108,000円
神奈川商店の次月繰越：130,000円－108,000円＝**22,000円**…④

埼玉商店の借方合計：80,000円＋90,000円＝170,000円
埼玉商店の次月繰越以外の貸方合計：80,000円＋52,000円＝132,000円
埼玉商店の次月繰越：170,000円－132,000円＝38,000円

なお、売掛金勘定の空欄にすべて記入すると次のとおりになります。売掛金の次月繰越が60,000円と判明しているので、神奈川商店に対する売掛金と埼玉商店に対する売掛金の合計が一致することを確認しましょう。

総勘定元帳

売掛金

9/1	前月繰越	90,000	9/3	当座預金	3,000
6	売上	90,000	7	現金	80,000
8	売上	50,000	12	当座預金	40,000
21	売上	70,000	15	現金	（52,000）
			22	売上	5,000
			28	当座預金	（60,000）
			30	次月繰越	60,000
		（300,000）			（300,000）

Link

出題内容	合格テキスト 合格トレーニング	スッキリわかる	簿記の教科書 簿記の問題集
得意先元帳	テーマ05	第15章	CHAPTER07

第3問（35点） 解答

決算整理後残高試算表

×6年3月31日

借方	勘定科目	貸方
10,234,000	現金	
852,000	受取手形	
2,158,000	売掛金	
	貸倒引当金	30,100
A **601,200**	繰越商品	
A **52,800**	貯蔵品	
B **127,000**	（**前払**）家賃	
B **13,750**	（**前払**）利息	
3,600,000	建物	
	建物減価償却累計額	**420,000**
1,350,000	備品	
	備品減価償却累計額	**318,750** B
920,000	土地	
	支払手形	503,650
	買掛金	905,000
	借入金	660,000
	未払消費税	**536,700** A
	未払法人税等	**804,200** A
	資本金	8,200,000
	繰越利益剰余金	4,762,550
	売上	8,192,000
A **2,776,100**	仕入	
805,750	給料	
A **52,800**	租税公課	
A **254,000**	支払家賃	
A **1,600**	貸倒引当金繰入	
345,000	減価償却費	
2,750	支払利息	
1,186,200	法人税、住民税及び事業税	
B **25,332,950**		**25,332,950**

一つにつき3点、一つにつき2点を与える。合計35点。

❖ 解答への道

決算整理後残高試算表を作成する問題です。〔B〕決算整理事項より決算整理仕訳を順に処理し、〔A〕決算整理前残高試算表に反映させることで、決算整理後残高試算表を作成します。

Ⅰ．決算整理仕訳

〔A〕決算整理**前**残高試算表と〔B〕決算整理事項より決算整理仕訳を行います。

1 売上原価の算定

期首商品棚卸高を繰越商品勘定から仕入勘定に、期末商品棚卸高を仕入勘定から繰越商品勘定に振り替え、仕入勘定で売上原価を算定します。

（仕　　　　　入）	552,300	（繰　越　商　品）	552,300
（繰　越　商　品）	601,200	（仕　　　　　入）	601,200

※　決算整理後の仕入勘定残高（売上原価）：2,825,000円＋552,300円－601,200円＝2,776,100円

2 貸倒引当金の設定

貸倒引当金の残高が、売上債権（受取手形と売掛金）期末残高の１％になるように、差額を補充します。

（貸倒引当金繰入）	1,600*	（貸　倒　引　当　金）	1,600

＊　見積額：(852,000円＋2,158,000円)×１％＝30,100円
　　繰入額：30,100円－28,500円＝1,600円

※　決算整理後の貸倒引当金勘定残高：28,500円＋1,600円＝30,100円

ここ重要!

■貸倒引当金繰入の算式

貸倒引当金繰入＝ 売掛金・受取手形などの期末残高×貸倒実績率－貸倒引当金残高
（売掛金・受取手形などの期末残高×貸倒実績率：見積額（設定額））

■決算整理後残高試算表の計上額

決算整理後残高試算表に計上される貸倒引当金の金額は、見積額（設定額）と一致します。

3 減価償却費の計上

⑴　建物の減価償却費

（減　価　償　却　費）	120,000*	（建物減価償却累計額）	120,000

＊　建物3,600,000円÷30年＝120,000円

⑵　備品の減価償却費

（減　価　償　却　費）	225,000*	（備品減価償却累計額）	225,000

＊　備品1,350,000円÷６年＝225,000円

※　決算整理後の建物減価償却累計額勘定残高：300,000円＋120,000円＝420,000円

※　決算整理後の備品減価償却累計額勘定残高：93,750円＋225,000円＝318,750円

※　決算整理後の減価償却費勘定残高：120,000円＋225,000円＝345,000円

4 貯蔵品勘定への振り替え

購入時に租税公課勘定で処理していた収入印紙のうち期末未使用分を租税公課勘定から貯蔵品勘定へ振り替えます。

（貯　　蔵　　品）	52,800	（租　税　公　課）	52,800

※　決算整理後の租税公課勘定残高：105,600円－52,800円＝52,800円

5 支払家賃の前払い

問題文に、「８月１日に向こう１年分を前払い」している旨の記述があるため、このうち×6年４月１日から×6年７月31日までの４か月分を次期の前払分とします。

（前　払　家　賃）	127,000*	（支　払　家　賃）	127,000

＊　381,000円×$\frac{4か月}{12か月}$＝127,000円

※　決算整理後の支払家賃勘定残高：381,000円－127,000円＝254,000円

6 支払利息の前払い

×6年４月１日から×7年１月31日までの次期の10か月分を前払計上します。

（前　払　利　息）	13,750*	（支　払　利　息）	13,750

＊　660,000円×2.5％×$\frac{10か月}{12か月}$＝13,750円

※　決算整理後の支払利息勘定残高：16,500円－13,750円＝2,750円

ここ重要!

■費用・収益の未払い・未収、前払い・前受け

経過勘定	費用・収益の処理	
未払○○（負債）	費用	増やす
未収××（資産）	収益	
前払○○（資産）	費用	減らす
前受××（負債）	収益	

7 消費税の処理

税抜方式では、期中に支払った消費税を仮払消費税勘定（資産）の借方に、受け取った消費税を仮受消費税勘定（負債）の貸方に記入しています。決算において、仮払消費税と仮受消費税は相殺し、仮払消費税よりも仮受消費税の方が多い場合には、差額を未払消費税勘定（負債）の貸方に記入します。

（仮　受　消　費　税）	819,200	（仮　払　消　費　税）	282,500
		（未　払　消　費　税）	536,700*

＊　819,200円〈仮受消費税〉－282,500円〈仮払消費税〉＝536,700円

8 法人税等の処理

当期の法人税、住民税及び事業税を計上します。期中に仮払法人税等が計上されている場合には、これを取り崩し、残額を未払法人税等として計上します。

（法人税、住民税及び事業税）	1,186,200	（仮　払　法　人　税　等）	382,000
		（未　払　法　人　税　等）	804,200*

＊　1,186,200円－382,000円〈前Ｔ／Ｂ仮払法人税等〉＝804,200円

Ⅱ．決算整理後残高試算表

決算整理**前**残高試算表に決算整理仕訳を加減算したものが下記の決算整理**後**残高試算表です。

決算整理**後**残高試算表
×6年３月31日

借方	勘定科目	貸方
10,234,000	現金	
852,000	受取手形	
2,158,000	売掛金	
	貸倒引当金	30,100
601,200	繰越商品	
52,800	貯蔵品	
127,000	前払家賃	
13,750	前払利息	
3,600,000	建物	
	建物減価償却累計額	420,000
1,350,000	備品	
	備品減価償却累計額	318,750
920,000	土地	
	支払手形	503,650
	買掛金	905,000
	借入金	660,000
	未払消費税	536,700
	未払法人税等	804,200
	資本金	8,200,000
	繰越利益剰余金	4,762,550
	売上	8,192,000
2,776,100	仕入	
805,750	給料	
52,800	租税公課	
254,000	支払家賃	
1,600	貸倒引当金繰入	
345,000	減価償却費	
2,750	支払利息	
1,186,200	法人税、住民税及び事業税	
25,332,950		25,332,950

Link

出題内容	合格テキスト 合格トレーニング	スッキリわかる	簿記の教科書 簿記の問題集
決算整理後残高試算表	テーマ24	第18章	CHAPTER11

MEMO

第4回 解答解説

合《う》格《か》るタイムライン

第4回はこの順序で解こう！

準備 問題把握（5分）

「60分を効率よく使って、絶対合格！」

■問題文全体（答案用紙も含む）をひととおりチェックしましょう。

■基本的に配点の高い「第１問→第３問→第２問」の順で解くのがお勧めですが、苦手な項目があったら後回しにしましょう。

〈第４回の解く順〉 **第１問** ➡ **第3問** ➡ **第２問(1)** ➡ **第２問(2)**

5分

第１問（20分）

■勘定科目の指定がある仕訳問題です。

■おおむね基本的な問題です。８割以上は正解できるようにしましょう。

⇒販売用のパソコンの購入は、固定資産の購入ではなく商品の仕入に該当します。何を目的とした取引なのか注意しましょう。

25分

第3問（15分）

■損益計算書と貸借対照表の作成問題です。

⇒すべての箇所を解答しようとするあまり、時間を余分にかけ過ぎることは避けましょう。

⇒未処理事項の修正や、支払家賃の月割計算に注意しましょう。

⇒当期純利益、繰越利益剰余金は損益項目をすべて正答しないと得点できないため、各項目の処理で手間取るようであれば、無理に解答する必要はありません。

40分

第２問（15分）

■(1)は経過勘定に関する勘定記入の問題です。

⇒期首再振替仕訳や損益への振り替えが問われていますが、借方と貸方を間違えて記入しないように注意しましょう。

■(2)は繰越利益剰余金の勘定記入問題です。

⇒各仕訳を丁寧に確認してから、勘定記入するとケアレスミスを防ぐことができます。

⇒借方と貸方を間違えて記入しないように注意しましょう。

55分

見直し（5分）

■わからなくて飛ばしたところをもう一度解いてみましょう。

■「もしかしたらこうかな…」というところは必ず埋めましょう！

■解答方法や単位にミスがないか見直しましょう。

■最後に名前の書き忘れがないかどうか、再度確認しましょう。

試験終了 **60分**

第1問 (45点) 解答

		借方		貸方	
		記号	金額	記号	金額
A	1	（ オ ）	40,000	（ カ ）	40,000
B	2	（ カ ） （ オ ） （ イ ）	600,000 6,272,000 128,000	（ ア ）	7,000,000
A	3	（ オ ）	33,000	（ ア ）	33,000
A	4	（ ウ ）	2,500,000	（ ア ） （ カ ）	2,455,000 45,000
A	5	（ イ ）	300,000	（ ア ）	300,000
B	6	（ オ ）	250,000	（ ウ ） （ エ ） （ ア ）	50,000 195,000 5,000
A	7	（ エ ）	6,000	（ ウ ）	6,000
A	8	（ ア ） （ エ ）	650,000 250,000	（ イ ）	900,000
B	9	（ カ ） （ エ ） （ オ ）	187,000 18,000 90,000	（ ア ）	295,000
A	10	（ オ ）	400,000	（ イ ）	400,000
B	11	（ エ ） （ ア ） （ ウ ）	400,000 150,000 50,000	（ イ ）	600,000
A	12	（ ア ） （ カ ） （ オ ）	2,250,000 900,000 120,000	（ イ ）	3,270,000
B	13	（ ウ ）	35,000	（ カ ）	35,000
A	14	（ ア ）	2,000,000	（ カ ）	2,000,000
A	15	（ ウ ）	450,000	（ ア ）	450,000

仕訳一組につき3点を与える。合計45点。

❖ 解答への道

1 仕入戻し

解答	（買 掛 金）	40,000	（仕 入）	40,000

返品したときは、仕入れたときの貸借逆仕訳をします。なお、本問では掛け代金から控除する旨の指示があるので、**買掛金勘定**（負債）の**借方**および**仕入勘定**（費用）の**貸方**に記入します。

2 売上（前受金・クレジット売掛金・支払手数料）

解答	（前 受 金）	600,000	（売 上）	7,000,000
	（クレジット売掛金）	6,272,000*2		
	（支 払 手 数 料）	128,000*1		

＊1 7,000,000円－600,000円＝6,400,000円
6,400,000円×２％＝128,000円
＊2 6,400,000円－128,000円＝6,272,000円

商品の注文を受けた際に受け取った手付金や内金は、後日商品を引き渡す義務として、**前受金勘定**（負債）の**貸方**に記入しています。したがって、商品の引渡時には、その義務が消滅するため**前受金勘定**の**借方**に記入します。また、クレジットカードによる取引に関する代金は**クレジット売掛金勘定**（資産）の**借方**に記入します。その際に販売時に手数料を計上しているときは、**支払手数料勘定**（費用）の**借方**に記入し、クレジット売掛金勘定から差し引きます。

3 貸倒れ

解答	（貸 倒 引 当 金）	33,000	（売 掛 金）	33,000

売掛金が貸し倒れたときは、**売掛金勘定**（資産）の**貸方**に記入します。前期発生の売掛金が貸し倒れたときは、**貸倒引当金勘定**（資産のマイナス）に残高があれば**借方**に記入して相殺（充当）します。

4 手形貸付金

解答	（手 形 貸 付 金）	2,500,000	（普 通 預 金）	2,455,000
			（受 取 利 息）	45,000

金銭を貸し付けた際に、約束手形を受け取った場合には、**手形貸付金勘定**（資産）の**借方**に記入します。なお、貸し付け時に利息を控除しているため、**貸方**に**受取利息**（収益）を記入します。

5 当座借越

解答	（買 掛 金）	300,000	（当 座 預 金）	300,000

支払前の当座預金残高が234,000円であり、買掛金の支払額が300,000円なので、超過額が66,000円となります。当座借越契約を締結しているため、当座預金残高を超えて支払いを行うことができます。本問では、選択する勘定科目の中に当座借越勘定がないので、その全額を**当座預金勘定**で処理します。

6 販売目的資産の購入

解答

(仕入)	250,000[*2]	(前払金)	50,000
		(買掛金)	195,000[*1]
		(現金)	5,000

＊1　245,000円－50,000円＝195,000円
＊2　245,000円＋5,000円＝250,000円

大阪株式会社は、パソコン販売業を営んでいるため、販売用のパソコンを購入したときは、固定資産の取得ではなく、商品の仕入れとなります。商品購入時には、品物とともに受け入れる納品書や請求書にもとづいて仕入を計上します。当社負担の運送費は仕入原価に含めるため、合計額を**仕入勘定**（費用）の**借方**に記入します。なお、注文時に**前払金勘定**（資産）の**借方**に記入していた手付金は、仕入時に**貸方**に記入し、商品代金の残額を**買掛金勘定**（負債）の**貸方**に記入します。

7 現金過不足の発生

解答

(現金)	6,000	(現金過不足)	6,000

現金の実際有高（金庫の中身）と帳簿残高が一致していないときは、その不一致額を**現金過不足勘定**で処理しておき原因を調査します。このとき、実際有高に帳簿残高を合わせるため、帳簿残高を増減させることに注意します。

本問では、実際有高のほうが6,000円多いので、帳簿残高を増加させます。

8 改良と修繕

解答

(建物)	650,000	(当座預金)	900,000
(修繕費)	250,000		

改良とは、固定資産に対する支出のうち耐震または免震工事など、その固定資産の価値を高めたり耐用年数が延長するような支出をいい、このことを資本的支出といいます。このときの支出額は、その固定資産の取得原価に加算し、ここでは、**建物勘定**（資産）の**借方**に記入します。一方、修繕とは、固定資産に対する支出のうち修理を行うなど、その固定資産の価値を維持するための支出をいい、このことを収益的支出といいます。このときの支出額は、**修繕費勘定**（費用）の**借方**に記入します。

9 社会保険料の納付

解答

(法定福利費)	187,000	(現金)	295,000
(社会保険料預り金)	18,000[*1]		
(従業員立替金)	90,000[*2]		

＊1　9,000円×２か月（４～５月分）＝18,000円
＊2　9,000円×10か月（６月以降の10か月分）＝90,000円　または　貸借差額

会社が従業員に関わる社会保険料を納付したときは、会社負担分は**法定福利費勘定**（費用）で処理します。また、従業員負担分については、納付前に給料から差し引き預かっている分（４～５月分）は、**社会保険料預り金勘定**（負債）の**貸方**に記入しているため、納付したときに**借方**に記入します。なお、今後、給料から差し引く分（６月以降の10か月分）は**従業員立替金勘定**（資産）で処理します。社会保険料の会計処理は、会社の方針によって異なるため、問題文の指示をよく読んで解答する必要があります。

10 電子記録債務の決済

解答

(電子記録債務)	400,000	(普通預金)	400,000

電子記録債務が決済されたときは、**電子記録債務勘定**（負債）の**借方**に記入します。

11 固定資産の売却（売却損が出るパターン）

解答

（普通預金A銀行）	400,000	（備　　品）	600,000
（備品減価償却累計額）	150,000*1		
（固定資産売却損）	50,000*2		

＊1　×4年7月1日～×4年12月31日：$\frac{600,000\text{円}}{6\text{年}} \times \frac{6\text{か月}}{12\text{か月}} = 50,000\text{円}$

×5年1月1日～×5年12月31日：$\frac{600,000\text{円}}{6\text{年}} \times 1\text{年} = 100,000\text{円}$

50,000円＋100,000円＝150,000円

＊2　取得原価600,000円－150,000円＝450,000円

売却価額400,000円－450,000円＝△50,000円（売却損）

預金口座を銀行口座別に管理する場合、各預金勘定に銀行名（本問ではA銀行）をつけた勘定科目を用います。

そして、本問は期首に売却しているので、売却した時点の固定資産の帳簿価額は、取得原価から期首備品減価償却累計額を控除した金額です。売却時の帳簿価額よりも売却価額が大きい場合は、その差額を固定資産売却益勘定（収益）の貸方に記入します。また、売却時の帳簿価額よりも売却価額が小さい場合は、その差額を**固定資産売却損勘定**（費用）の**借方**に記入します。なお、購入年度の減価償却費は、購入が会計期間の途中で行われているため月割りで計算します。

12 賃借契約

解答

（差入保証金）	2,250,000	（普通預金）	3,270,000
（支払家賃）	900,000		
（支払手数料）	120,000		

賃借契約にともなって生じる支出のうち、敷金は**差入保証金勘定**（資産）、家賃は**支払家賃勘定**（費用）、仲介手数料は**支払手数料勘定**（費用）で処理します。

13 訂正仕訳（償却債権取立益）

解答

（売　掛　金）	35,000	（償却債権取立益）	35,000

前期に貸倒れとして処理した売掛金を回収したときは、**償却債権取立益勘定**（収益）の**貸方**に記入しますが、誤った処理がされているため、これを訂正します。訂正にあたっては、「① 誤った仕訳の逆仕訳」と「② 正しい仕訳」が必要になりますが、指示により①と②の仕訳の当座預金は相殺します。

(1) 誤った仕訳

	（当座預金）	35,000	（売　掛　金）	35,000

(2) 訂正仕訳

① 誤った仕訳の逆仕訳	（売　掛　金）	35,000	~~（当座預金）~~	~~35,000~~
② 正しい仕訳	~~（当座預金）~~	~~35,000~~	（償却債権取立益）	35,000

14 手形借入金の返済

解答 （手形借入金） 2,000,000 （当座預金） 2,000,000

手形借入金を返済したときは、負債の減少として**手形借入金勘定**（負債）の**借方**に記入します。また、当座預金から引き落とされているため、資産の減少として**当座預金勘定**（資産）の**貸方**に記入します。

15 中間納付（証ひょう）

解答 （仮払法人税等） 450,000 （普通預金） 450,000

本問で示された領収済通知書は、中間申告を◯で囲んでいることから、中間申告をした際に受け取った証書であることがわかります。年１回決算の株式会社は、期首より６か月を経過した日から２か月以内に、法人税等の中間申告を行い、納付した法人税等を**仮払法人税等勘定**（資産）の**借方**に記入します。

Link

出題内容	合格テキスト 合格トレーニング	スッキリわかる	簿記の教科書 簿記の問題集
仕入戻し	テーマ05	第２章	CHAPTER02
売上 （前受金・クレジット売掛金・支払手数料）	テーマ04、08	第２、８章	CHAPTER02、06
貸倒れ	テーマ19	第10章	CHAPTER11
手形貸付金	テーマ11	第７章	CHAPTER06
当座借越	テーマ06	第４章	CHAPTER03
仕入 （前払金・諸掛り・買掛金）	テーマ04、05	第２、８章	CHAPTER02、06
現金過不足の発生	テーマ17	第３章	CHAPTER03
改良と修繕	テーマ12	第11章	CHAPTER05
社会保険料の納付	テーマ13	第９章	CHAPTER06
電子記録債務の決済	テーマ10	第６章	CHAPTER04
有形固定資産の売却	テーマ12、20	第11章	CHAPTER11
賃借契約	テーマ12	第８章	CHAPTER06
訂正仕訳（償却債権取立益）	テーマ16、19	第10、14章	CHAPTER06、11
手形借入金の返済	テーマ11	第７章	CHAPTER06
中間納付（証ひょう）	テーマ30、31	第13、17章	CHAPTER11、13

第2問（20点） 解答

(1)

支　払　地　代

×6年4月1日	A［エ］	（ 600,000 ）	×7年3月31日	［エ］	（ 660,000 ）
×6年8月1日	A［ア］	（ 1,980,000 ）	〃	損　益	（ 1,920,000 ）
		（ 2,580,000 ）			（ 2,580,000 ）

A［キ］地　代

×6年4月1日	前期繰越	（ 600,000 ）	×6年4月1日	［イ］	（ 600,000 ）A
×7年3月31日	［イ］	（ 660,000 ）	×7年3月31日	［サ］	（ 660,000 ）A
		（ 1,260,000 ）			（ 1,260,000 ）

損　　益

×7年3月31日	売上原価	52,500,000	×7年3月31日	売　上	87,000,000
〃	給　料	10,500,000	〃	受取手数料	500,000
〃	減価償却費	8,250,000			
〃	支払地代	（ 1,920,000 ）			
〃	繰越利益剰余金 B	（ 14,330,000 ）			
		（ 87,500,000 ）			（ 87,500,000 ）

(2)

① A	② A	③ A	④ A	⑤ B
600,000	1,620,000	オ	カ	2,810,000

(1)は、一つにつき2点を与える。
(2)は、①②⑤は各2点、③④は各1点を与える。合計20点。

❖ 解答への道

(1) 経過勘定

① ×6年4月1日：期首再振替仕訳

（支　払　地　代）	600,000	（前　払　地　代）	600,000

再振替仕訳は前期末において、費用・収益の前払い・未払い、未収・前受けを行った際に、経過勘定項目（前払、未払、未収、前受）に記録された金額を、翌期首に決算整理仕訳の貸借逆仕訳を行うことにより、費用または収益の勘定に戻す処理です。本問では、当期に属する前払地代600,000円を支払地代勘定（費用）へ戻す仕訳を行います。

② ×6年８月１日：当期の地代支払いの仕訳

(支　払　地　代)	1,980,000*	(現　　　　金)	1,980,000

＊　600,000円÷４か月＝150,000円〈値上げ前の１か月分の地代〉
150,000円×12か月＝1,800,000円〈値上げ前の１年分の地代〉
1,800,000円×（100％＋10％）＝1,980,000円〈値上げ後の１年分の地代〉

地代１年分の支払額がいくらか示されていないため、前期末の決算整理の内容から金額を推定する必要があります。前期末決算において計上した前払地代600,000円は、前期の８月１日に支払った向こう１年分の地代のうち、当期に属する×6年４月１日～×6年７月31日までの４か月分（下記図Ａの部分）であるため、そこから値上げ前の１か月分の地代が150,000円（＝600,000円÷４か月）であることがわかります。したがって、地代１年分の支払額1,980,000円（＝150,000円×12か月×110％）を現金で支払った仕訳を行います。

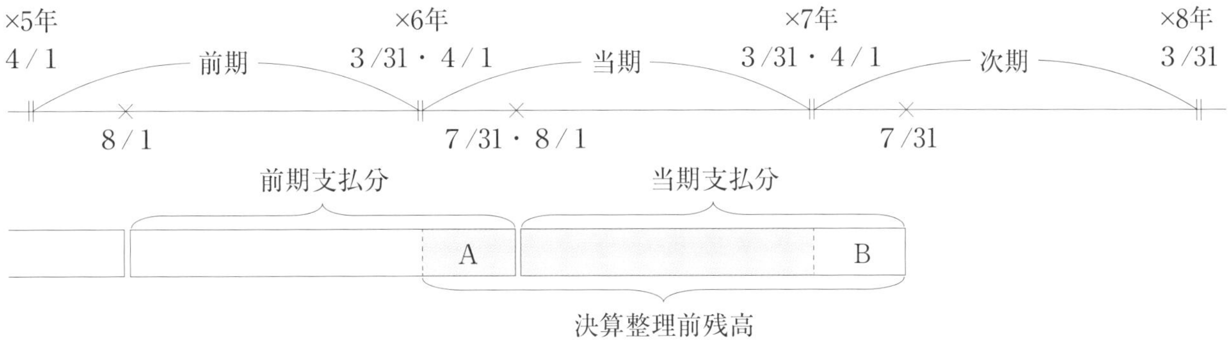

③ ×7年３月31日：決算整理仕訳（前払処理）

(前　払　地　代)	660,000*	(支　払　地　代)	660,000

＊　1,980,000円×$\frac{4か月}{12か月}$＝660,000円〈×7年４月１日～×7年７月31日までの地代〉

支払地代勘定の決算整理前残高は、上記①および②の処理により、×6年４月１日から×7年７月31日までの16か月分となります。よって、次期に属する×7年４月１日から×7年７月31日までの４か月分（上記図Ｂの部分）660,000円（＝1,980,000円÷12か月×４か月）を次期の費用とする仕訳を行います。

④ ×7年３月31日：決算振替仕訳

決算整理後の費用および収益の各勘定残高は、損益勘定へ振り替えます。損益勘定の貸借差額は、繰越利益剰余金勘定に振り替えます。

(売　　　　上)	87,000,000	(損　　　　益)	87,500,000
(受 取 手 数 料)	500,000		
(損　　　　益)	73,170,000	(売　上　原　価)	52,500,000
		(給　　　　料)	10,500,000
		(減 価 償 却 費)	8,250,000
		(支　払　地　代)	1,920,000*1
(損　　　　益)	14,330,000*2	(繰越利益剰余金)	14,330,000

＊１　600,000円＋1,980,000円－660,000円＝1,920,000円
＊２　87,500,000円－73,170,000円＝14,330,000円

⑤　勘定記入

勘定記入を完成させると、次のようになります。

支　払　地　代

×6年4月1日	前払地代	600,000	×7年3月31日	前払地代	660,000
×6年8月1日	現　　金	1,980,000	〃	損　　益	1,920,000
		2,580,000			2,580,000

前　払　地　代

×6年4月1日	前期繰越	600,000	×6年4月1日	支払地代	600,000
×7年3月31日	支払地代	660,000	×7年3月31日	次期繰越	660,000
		1,260,000			1,260,000

損　　　益

×7年3月31日	売上原価	52,500,000	×7年3月31日	売　　上	87,000,000
〃	給　　料	10,500,000	〃	受取手数料	500,000
〃	減価償却費	8,250,000			
〃	支払地代	1,920,000			
〃	繰越利益剰余金	14,330,000			
		87,500,000			87,500,000

ここ重要!

■費用・収益の未払い・未収、前払い・前受け

経過勘定		費用・収益の処理
未払○○(負債)	費用	増やす
未収××(資産)	収益	
前払○○(資産)	費用	減らす
前受××(負債)	収益	

Link

出題内容	合格テキスト 合格トレーニング	スッキリわかる	簿記の教科書 簿記の問題集
経　過　勘　定	テーマ23	第14章	CHAPTER11

(2) 繰越利益剰余金

1 第1期（前期）

第２期の繰越利益剰余金の前期繰越（×5年４/１）の金額を把握するために、第１期の繰越利益剰余金の金額の推移を確認します。

(a) 当期純利益の計上

当期純利益を、損益勘定から繰越利益剰余金勘定に振り替えます。

×5年３/31	（損　　　　　益）	1,620,000	（繰 越 利 益 剰 余 金）	1,620,000

※　繰越利益剰余金残高：1,620,000円（貸方：次期繰越額＝×5年４/１前期繰越額）

(b) 剰余金の配当と処分　…　なし

2 第2期（当期）

第２期の仕訳を行い、繰越利益剰余金勘定に転記します。

(c) 剰余金の配当と処分

決定された配当金の支払額を未払配当金に計上し、積立額を利益準備金に積み立てます。なお、株主総会の段階では、株主に配当金を支払ったわけではないため、勘定科目に注意します。

×5年６/25	（繰 越 利 益 剰 余 金）	660,000	（未　払　配　当　金）	600,000
			（利　益　準　備　金）	60,000

※　繰越利益剰余金残高：前期繰越額1,620,000円（貸方）－660,000円（借方）＝960,000円（貸方）

(d) 剰余金の支払い

株主配当金を普通預金口座から支払ったため、仕訳を行います。

×5年６/28	（未　払　配　当　金）	600,000	（普　通　預　金）	600,000

(e) 当期純利益の計上

当期純利益を、損益勘定から繰越利益剰余金勘定に振り替えます。

×6年３/31	（損　　　　　益）	1,850,000	（繰 越 利 益 剰 余 金）	1,850,000

※　繰越利益剰余金残高：×5年６/25 960,000円（貸方）＋1,850,000円（貸方）
＝2,810,000円（貸方：次期繰越額）

本問の繰越利益剰余金勘定は、次のようになります。

繰越利益剰余金

×5年６/25	未払配当金	（① **600,000**）	×5年４/１	前期繰越	（②**1,620,000**）
×5年６/25	（③利益準備金）	（60,000）	×6年３/31	（④損　　益）	（1,850,000）
×6年３/31	（次 期 繰 越）	（⑤**2,810,000**）			
		（3,470,000）			（3,470,000）

Link

出題内容	合格テキスト 合格トレーニング	スッキリわかる	簿記の教科書 簿記の問題集
繰越利益剰余金	テーマ29	第12章	CHAPTER12

第3問（35点） 解答

損益計算書

A ×5年（4）月（1）日～×6年（3）月（31）日　　（単位：円）

費用	金額	収益	金額
売上原価	（A 34,320,000）	売上高	69,984,000
給料	3,486,450	受取手数料	（3,061,800）
広告宣伝費	（3,600,000）		
支払家賃	（3,600,000）		
法定福利費	1,944,000		
貸倒引当金繰入	（B 153,600）		
減価償却費	（A 3,060,000）		
消耗品費	（A 87,500）		
支払利息	1,786,050		
法人税、住民税及び事業税	（6,300,000）		
当期純利益	（B 14,708,200）		
	（73,045,800）		（73,045,800）

貸借対照表

×6年（3）月（31）日　　（単位：円）

資産	金額		負債及び純資産	金額
現金		60,055,000	支払手形	（A 19,839,660）
当座預金		58,254,000	買掛金	10,206,000
受取手形	11,907,000		未払法人税等	（A 3,060,000）
貸倒引当金	（△ 238,140）	（11,668,860）	未払消費税	（B 3,481,350）
売掛金	（12,783,000）		未払費用	（A 300,000）
貸倒引当金	（△ 255,660）	（A 12,527,340）	借入金	21,060,000
商品		（5,103,000）	社会保険料預り金	254,340
前払費用		（A 300,000）	資本金	64,800,000
備品	15,300,000		繰越利益剰余金	（34,086,850）
減価償却累計額	（△ 6,120,000）	（9,180,000）		
		（157,088,200）		（157,088,200）

　　一つにつき3点、　　一つにつき2点を与える。合計35点。

❖ 解答への道

1 未処理事項

仕入の計上漏れが判明したため、本体価格と仮払消費税とに分けて計上します。

(仕　　　　　入)	300,000	(支　払　手　形)	330,000
(仮　払　消　費　税)	30,000*		

＊　300,000円×10％＝30,000円

※　B／S支払手形：19,509,660円＋330,000円＝19,839,660円

2 仮払金および現金過不足の整理

消耗品の支払いであったことが判明したため、消耗品費87,500円を計上し、差額12,500円は前T／Bの現金過不足勘定と一致するため、貸方に計上している現金過不足勘定の減少として処理します。

(消　耗　品　費)	87,500	(仮　　払　　金)	100,000*1
(現　金　過　不　足)	12,500*2		

＊1　前T／B仮払金の金額
＊2　前T／B現金過不足の金額

3 仮受金の処理

仮受金の全額が得意先からの売掛金の振り込みであったことが判明したため、全額を売掛金勘定の減少として処理します。

(仮　　受　　金)	825,000*	(売　　掛　　金)	825,000

＊　前T／B仮受金の金額

※　B／S売掛金：13,608,000円－825,000円＝12,783,000円

4 貸倒引当金の設定

貸倒引当金勘定の残高が、売上債権（受取手形と売掛金）期末残高の２％になるように、差額を補充します。

(貸　倒　引　当　金　繰　入)	153,600*	(貸　倒　引　当　金)	153,600

＊　(前T／B受取手形 11,907,000円＋前T／B売掛金 13,608,000円－ 825,000円)×２％＝見積額 493,800円
　　493,800円－前T／B貸倒引当金 340,200円＝繰入額 153,600円

※　B／S貸倒引当金（受取手形）：11,907,000円×２％＝238,140円

※　B／S貸倒引当金（売掛金）：(13,608,000円－825,000円)×２％＝255,660円

ここ重要！

■貸倒引当金繰入の算式（P/L）

貸倒引当金繰入＝ 売掛金・受取手形などの期末残高×貸倒実績率－貸倒引当金残高
（売掛金・受取手形などの期末残高×貸倒実績率：見積額（設定額））

■貸借対照表の計上額（B/S）

貸借対照表に計上される貸倒引当金の金額は、見積額（設定額）と一致します。

5 売上原価の計算

期首商品棚卸高を繰越商品勘定から仕入勘定に、期末商品棚卸高を仕入勘定から繰越商品勘定に振り替え、仕入勘定で売上原価を算定します。

(仕　　　　入)	4,252,500*	(繰　越　商　品)	4,252,500
(繰　越　商　品)	5,103,000	(仕　　　　入)	5,103,000

＊　前T/B繰越商品（期首商品棚卸高）

※　P/L売上原価：4,252,500円＋(34,870,500円＋300,000円)－5,103,000円＝34,320,000円

ここ重要!

■売上原価の算定

売上原価＝期首商品棚卸高＋当期商品仕入高－期末商品棚卸高

■仕入勘定の区別

	決算整理「前」残高試算表	決算整理「後」残高試算表
仕入勘定の意味	当期商品仕入高	売上原価

6 備品の減価償却

備品について、定額法による減価償却を行います。なお、問題文より備品の減価償却費については、備品の期首の残高を基礎として255,000円を４月から２月までの11か月間にわたり毎月見積り計上してきており、決算月も同様な処理を行うとされているので、そのように処理します。

(減　価　償　却　費)	255,000	(備品減価償却累計額)	255,000

※　P/L減価償却費：2,805,000円＋255,000円＝3,060,000円

※　B/S減価償却累計額：5,865,000円＋255,000円＝6,120,000円

7 消費税の処理

仮受消費税と仮払消費税とを相殺して未払消費税を計上します。

(仮　受　消　費　税)	6,998,400	(仮　払　消　費　税)	3,517,050*1
		(未　払　消　費　税)	3,481,350*2

＊1　3,487,050円＋30,000円＝3,517,050円
＊2　6,998,400円－3,517,050円＝3,481,350円

8 広告宣伝費の未払い

３月分の広告宣伝費を未払い計上します。

(広　告　宣　伝　費)	300,000	(未払広告宣伝費)	300,000

※　P/L広告宣伝費：3,300,000円＋300,000円＝3,600,000円

9 支払家賃の前払い

2月末に2か月分（×6年3月1日～×6年4月30日分）が支払われているため、次期の1か月分（×6年4月1日～×6年4月30日分）を前払家賃に振り替えます。

（前　払　家　賃）	300,000*	（支　払　家　賃）	300,000

＊　600,000円×$\frac{1か月}{2か月}$=300,000円

※　P/L支払家賃：3,900,000円－300,000円＝3,600,000円

ここ重要！

■費用・収益の未払い・未収、前払い・前受け

経過勘定	費用・収益の処理	
未払○○（負債）	費用	増やす
未収××（資産）	収益	
前払○○（資産）	費用	減らす
前受××（負債）	収益	

10 法人税等の処理

当期の法人税、住民税及び事業税を計上します。期中に仮払法人税等が計上されている場合には、これを取り崩し、残額を未払法人税等として計上します。

（法人税、住民税及び事業税）	6,300,000	（仮 払 法 人 税 等）	3,240,000
		（未 払 法 人 税 等）	3,060,000*

＊　6,300,000円－前T/B仮払法人税等3,240,000円＝3,060,000円

11 損益計算書および貸借対照表

決算整理前残高試算表の金額と、仕訳の金額を加減算した修正後の勘定残高を資産・負債・純資産（資本）、および収益・費用に分類します。資産・負債・純資産（資本）は貸借対照表へ、収益・費用は損益計算書へ記入します。

(1)　損益計算書記入上の注意

①　表題下に「会計期間」を表示します。

②　「売上」勘定残高は、「売上高」と表示します。

③　「仕入」勘定残高は、「売上原価」と表示します。

④　貸借差額を当期純損益として表示します。

当期純利益：収益合計73,045,800円－費用合計58,337,600円＝14,708,200円

(2)　貸借対照表記入上の注意

①　表題下に「決算日」を表示します。

②　「貸倒引当金」勘定残高は、資産の「売掛金」「受取手形」から個別に控除する形式で表示します。なお、以下のように、売上債権の合計額から一括して控除する方法などもありますので、答案用紙の形式には注意しましょう。

受 取 手 形	11,907,000	
売　掛　金	12,783,000	
貸倒引当金	△ 493,800	24,196,200

③　「繰越商品」勘定残高は、「商品」と表示します。

④　費用の前払額は「前払費用」、収益の前受額は「前受収益」、費用の未払額は「未払費用」、収益の未収額は「未収収益」と表示します。

⑤　「備品減価償却累計額」勘定残高は、資産の「備品」から控除する形式で表示します。なお、複数の有形固定資産を所有している場合は、それぞれの有形固定資産から控除する形式で表示しますが、複数の有形固定資産の合計額から減価償却累計額の合計額を一括して控除する方法などもあります。

⑥　「繰越利益剰余金」は前T／Bの金額に当期純利益を加算した金額を表示します。

繰越利益剰余金：前T／B 19,378,650円＋14,708,200円＝34,086,850円

Link

出題内容	合格テキスト 合格トレーニング	スッキリわかる	簿記の教科書 簿記の問題集
財務諸表の作成	テーマ27	第18章	CHAPTER12

同論点異形式問題

第3問では、財務諸表作成問題の他に、精算表や決算整理後残高試算表作成の問題も出題されます。本問を使用して、精算表と決算整理後残高試算表を作成してみましょう。

〈答案用紙①　精算表〉

精　算　表

勘定科目	残高試算表		修正記入		損益計算書		貸借対照表	
	借方	貸方	借方	貸方	借方	貸方	借方	貸方
現金	60,055,000						60,055,000	
当座預金	58,254,000						58,254,000	
受取手形	11,907,000						11,907,000	
売掛金	13,608,000							
仮払消費税	3,487,050							
仮払金	100,000							
仮払法人税等	3,240,000							
繰越商品	4,252,500							
備品	15,300,000						15,300,000	
現金過不足		12,500						
支払手形		19,509,660						
買掛金		10,206,000						10,206,000
仮受金		825,000						
仮受消費税		6,998,400						
借入金		21,060,000						21,060,000
社会保険料預り金		254,340						254,340
貸倒引当金		340,200						
備品減価償却累計額		5,865,000						
資本金		64,800,000						64,800,000
繰越利益剰余金		19,378,650						19,378,650
売上		69,984,000				69,984,000		
受取手数料		3,061,800						
仕入	34,870,500							
給料	3,486,450				3,486,450			
広告宣伝費	3,300,000							
支払家賃	3,900,000							
法定福利費	1,944,000				1,944,000			
支払利息	1,786,050				1,786,050			
減価償却費	2,805,000							
	222,295,550	222,295,550						
消耗品費								
貸倒引当金繰入								
(　　)消費税								
(　　)広告宣伝費								
(　　)家賃								
法人税、住民税及び事業税								
未払法人税等								
当期純(　　)								

〈解　答① 精算表〉

精　　算　　表

勘定科目	残高試算表		修正記入		損益計算書		貸借対照表	
	借方	貸方	借方	貸方	借方	貸方	借方	貸方
現金	60,055,000						60,055,000	
当座預金	58,254,000						58,254,000	
受取手形	11,907,000						11,907,000	
売掛金	13,608,000			825,000			12,783,000	
仮払消費税	3,487,050		30,000	3,517,050				
仮払金	100,000			100,000				
仮払法人税等	3,240,000			3,240,000				
繰越商品	4,252,500		5,103,000	4,252,500			5,103,000	
備品	15,300,000						15,300,000	
現金過不足		12,500	12,500					
支払手形		19,509,660		330,000				19,839,660
買掛金		10,206,000						10,206,000
仮受金		825,000	825,000					
仮受消費税		6,998,400	6,998,400					
借入金		21,060,000						21,060,000
社会保険料預り金		254,340						254,340
貸倒引当金		340,200		153,600				493,800
備品減価償却累計額		5,865,000		255,000				6,120,000
資本金		64,800,000						64,800,000
繰越利益剰余金		19,378,650						19,378,650
売上		69,984,000				69,984,000		
受取手数料		3,061,800				3,061,800		
仕入	34,870,500		300,000	5,103,000	34,320,000			
			4,252,500					
給料	3,486,450				3,486,450			
広告宣伝費	3,300,000		300,000		3,600,000			
支払家賃	3,900,000			300,000	3,600,000			
法定福利費	1,944,000				1,944,000			
支払利息	1,786,050				1,786,050			
減価償却費	2,805,000		255,000		3,060,000			
	222,295,550	222,295,550						
消耗品費			87,500		87,500			
貸倒引当金繰入			153,600		153,600			
（未払）消費税				3,481,350				3,481,350
（未払）広告宣伝費				300,000				300,000
（前払）家賃			300,000				300,000	
法人税、住民税及び事業税			6,300,000		6,300,000			
未払法人税等				3,060,000				3,060,000
当期純（利益）					14,708,200			14,708,200
			24,917,500	24,917,500	73,045,800	73,045,800	163,702,000	163,702,000

〈答案用紙②　決算整理後残高試算表〉

決算整理後残高試算表

×6年3月31日

借方	勘定科目	貸方
60,055,000	現金	
58,254,000	当座預金	
11,907,000	受取手形	
	売掛金	
	繰越商品	
	前払家賃	
15,300,000	備品	
	支払手形	
	買掛金	10,206,000
	借入金	21,060,000
	社会保険料預り金	254,340
	未払消費税	
	未払広告宣伝費	
	未払法人税等	
	貸倒引当金	
	備品減価償却累計額	
	資本金	64,800,000
	繰越利益剰余金	19,378,650
	売上	69,984,000
	受取手数料	
	仕入	
3,486,450	給料	
	広告宣伝費	
	支払家賃	
1,944,000	法定福利費	
1,786,050	支払利息	
	消耗品費	
	貸倒引当金繰入	
	減価償却費	
	法人税、住民税及び事業税	

〈解　答②　決算整理後残高試算表〉

決算整理後残高試算表

×6年３月31日

借方	勘定科目	貸方
60,055,000	現金	
58,254,000	当座預金	
11,907,000	受取手形	
12,783,000	売掛金	
5,103,000	繰越商品	
300,000	前払家賃	
15,300,000	備品	
	支払手形	19,839,660
	買掛金	10,206,000
	借入金	21,060,000
	社会保険料預り金	254,340
	未払消費税	3,481,350
	未払広告宣伝費	300,000
	未払法人税等	3,060,000
	貸倒引当金	493,800
	備品減価償却累計額	6,120,000
	資本金	64,800,000
	繰越利益剰余金	19,378,650
	売上	69,984,000
	受取手数料	3,061,800
34,320,000	仕入	
3,486,450	給料	
3,600,000	広告宣伝費	
3,600,000	支払家賃	
1,944,000	法定福利費	
1,786,050	支払利息	
87,500	消耗品費	
153,600	貸倒引当金繰入	
3,060,000	減価償却費	
6,300,000	法人税、住民税及び事業税	
222,039,600		222,039,600

MEMO

2024年度《ねんど》試験《しけん》をあてるＴＡＣ予想模試《よそうもし》+解《と》き方《かた》テキスト
日商《にっしょう》簿記《ぼき》３級《きゅう》　９～12月《がつ》試験対応《しけんたいおう》

2024年８月26日　初　版　第１刷発行

編著者　ＴＡＣ株式会社
（簿記検定講座）
発行者　多田敏男
発行所　TAC株式会社　出版事業部
（TAC出版）

〒101-8383
東京都千代田区神田三崎町3-2-18
電　話 03（5276）9492（営業）
FAX 03（5276）9674
https://shuppan.tac-school.co.jp

組　版　朝日メディアインターナショナル株式会社
印　刷　株式会社　ワ　コ　ー
製　本　東京美術紙工協業組合

ISBN 978-4-300-10845-1
N.D.C. 336

会計業界の就職サポートは
安心のTAC
TACキャリアエージェントなら
BIG4・国内大手法人
就職支援実績多数！
税理士学習中の方
日商簿記学習中の方
会計士／USCPA学習中の方
会計業界で就業中の方で転職をお考えの方
会計業界でのお仕事に興味のある方
「残業なしで勉強時間を確保したい…」
「簿記３級から始められる仕事はあるの？」
といったご相談も大歓迎です！
スキマ時間に
PC・スマホ・タブレットで
WEB面談実施中！
忙しくて時間の取れない方、遠方に
お住まいの方、ぜひご利用ください。
詳細はこちら!
https://tacnavi.com/
accountant/web-mendan/
完全予約制
ご相談は無料です。会計業界を知り尽くしたプロの
コンサルタントにご相談ください。
※相談時間は原則としてお一人様60分とさせていただきます。
【相談会場】
東京オフィス 03-3518-6775
大阪オフィス 06-6371-5851
名古屋オフィス（登録会場） 0120-757-655
shoukai@
tac-school.co.jp
メールでご予約の際は、
件名に「相談希望のオフィス」
をご入力ください。
(例:相談希望 東京)
TAC 会計士・税理士専門の転職サポートサービス
キャリアエージェント

TAC出版

(2024年2月現在)

書籍のご購入は

1 全国の書店、大学生協、ネット書店で

2 TAC各校の書籍コーナーで

資格の学校TACの校舎は全国に展開!
校舎のご確認はホームページにて

資格の学校TAC ホームページ
https://www.tac-school.co.jp

3 TAC出版書籍販売サイトで

CYBER BOOK STORE TAC出版書籍販売サイト

TAC 出版 で 検索

24時間
ご注文
受付中

https://bookstore.tac-school.co.jp/

新刊情報をいち早くチェック!

たっぷり読める立ち読み機能

学習お役立ちの特設ページも充実!

TAC出版書籍販売サイト「サイバーブックストア」では、TAC出版および早稲田経営出版から刊行されている、すべての最新書籍をお取り扱いしています。
また、会員登録(無料)をしていただくことで、会員様限定キャンペーンのほか、送料無料サービス、メールマガジン配信サービス、マイページのご利用など、うれしい特典がたくさん受けられます。

サイバーブックストア会員は、特典がいっぱい!(一部抜粋)

通常、1万円(税込)未満のご注文につきましては、送料・手数料として500円(全国一律・税込)頂戴しておりますが、1冊から無料となります。

専用の「マイページ」は、「購入履歴・配送状況の確認」のほか、「ほしいものリスト」や「マイフォルダ」など、便利な機能が満載です。

メールマガジンでは、キャンペーンやおすすめ書籍、新刊情報のほか、「電子ブック版TACNEWS(ダイジェスト版)」をお届けします。

書籍の発売を、販売開始当日にメールにてお知らせします。これなら買い忘れの心配もありません。

日商簿記検定試験対策書籍のご案内

TAC出版の日商簿記検定試験対策書籍は、学習の各段階に対応していますので、あなたのステップに応じて、合格に向けてご活用ください！

3タイプのインプット教材

1

簿記を専門的な知識にしていきたい方向け

満点合格を目指し 次の級への土台を築く

「合格テキスト」

「合格トレーニング」

- 大判のB5判、3級～1級累計300万部超の、信頼の定番テキスト&トレーニング！TACの教室でも使用している公式テキストです。3級のみオールカラー。
- 出題論点はすべて網羅しているので、簿記をきちんと学んでいきたい方にぴったりです！

◆3級　□2級 商簿、2級 工簿　■1級 商・会 各3点、1級 工・原 各3点

2

スタンダードにメリハリつけて学びたい方向け

教室講義のような わかりやすさでしっかり学べる

「簿記の教科書」

「簿記の問題集」　　滝澤 ななみ 著

- A5判、4色オールカラーのテキスト（2級・3級のみ）&模擬試験つき問題集！
- 豊富な図解と実例つきのわかりやすい説明で、もうモヤモヤしない!!

◆3級　□2級 商簿、2級 工簿　■1級 商・会 各3点、1級 工・原 各3点

3

気軽に始めて、早く全体像をつかみたい方向け

初学者でも楽しく続けられる！

「スッキリわかる」

テキスト／問題集一体型

滝澤 ななみ 著（1級は商・会のみ）

- 小型のA5判（4色オールカラー）によるテキスト／問題集一体型。これ一冊でOKの、圧倒的に人気の教材です。
- 豊富なイラストとわかりやすいレイアウト！かわいいキャラの「ゴエモン」と一緒に楽しく学べます。

◆3級　□2級 商簿、2級 工簿

■1級 商・会 4点、1級 工・原 4点

「スッキリうかる本試験予想問題集」

滝澤 ななみ 監修　TAC出版開発グループ 編著

- 本試験タイプの予想問題9回分を掲載

◆3級　□2級

書籍の正誤に関するご確認とお問合せについて

書籍の記載内容に誤りではないかと思われる箇所がございましたら、以下の手順にてご確認とお問合せをしてくださいますよう、お願い申し上げます。
なお、正誤のお問合せ以外の**書籍内容に関する解説および受験指導などは、一切行っておりません。**
そのようなお問合せにつきましては、お答えいたしかねますので、あらかじめご了承ください。

1 「Cyber Book Store」にて正誤表を確認する

TAC出版書籍販売サイト「Cyber Book Store」の
トップページ内「正誤表」コーナーにて、正誤表をご確認ください。

CYBER BOOK STORE TAC出版書籍販売サイト

URL:https://bookstore.tac-school.co.jp/

2 1の正誤表がない、あるいは正誤表に該当箇所の記載がない ⇒ 下記①、②のどちらかの方法で文書にて問合せをする

★ご注意ください★

お電話でのお問合せは、お受けいたしません。
①、②のどちらの方法でも、お問合せの際には、「お名前」とともに、
「対象の書籍名(○級・第○回対策も含む)およびその版数(第○版・○○年度版など)」
「お問合せ該当箇所の頁数と行数」
「誤りと思われる記載」
「正しいとお考えになる記載とその根拠」
を明記してください。
なお、回答までに1週間前後を要する場合もございます。あらかじめご了承ください。

① ウェブページ「Cyber Book Store」内の「お問合せフォーム」より問合せをする

【お問合せフォームアドレス】

https://bookstore.tac-school.co.jp/inquiry/

② メールにより問合せをする

【メール宛先 TAC出版】

syuppan-h@tac-school.co.jp

※土日祝日はお問合せ対応をおこなっておりません。
※正誤のお問合せ対応は、該当書籍の改訂版刊行月末日までといたします。

乱丁・落丁による交換は、該当書籍の改訂版刊行月末日までといたします。なお、書籍の在庫状況等により、お受けできない場合もございます。
また、各種本試験の実施の延期、中止を理由とした本書の返品はお受けいたしません。返金もいたしかねますので、あらかじめご了承くださいますようお願い申し上げます。

TACにおける個人情報の取り扱いについて
■お預かりした個人情報は、TAC(株)で管理させていただき、お問合せへの対応、当社の記録保管にのみ利用いたします。お客様の同意なしに業務委託先以外の第三者に開示、提供することはございません(法令等により開示を求められた場合を除く)。その他、個人情報保護管理者、お預かりした個人情報の開示等及びTAC(株)への個人情報の提供の任意性については、当社ホームページ(https://www.tac-school.co.jp)をご覧いただくか、個人情報に関するお問い合わせ窓口(E-mail:privacy@tac-school.co.jp)までお問合せください。

(2022年7月現在)

TAC予想模試

別 冊

問題・答案用紙
計算用紙

※ 使い方は中面をご覧ください

答案用紙はダウンロードもご利用いただけます。
TAC出版書籍販売サイト・サイバーブックストアにアクセスしてください。
https://bookstore.tac-school.co.jp/

TAC出版

問題・答案用紙の使い方

この冊子には、問題・答案用紙と計算用紙がとじ込まれています。下記を参考に、第１回から第４回の問題・答案用紙と計算用紙に分けてご利用ください。

STEP1

一番外側の色紙を残して、
問題・答案用紙と計算用紙の冊子を
取り外してください。

STEP2

取り外した冊子を開いて真ん中にあるホチキスの針を、定規やホチキスの針外し（ステープルリムーバーなど）を利用して取り外してください。

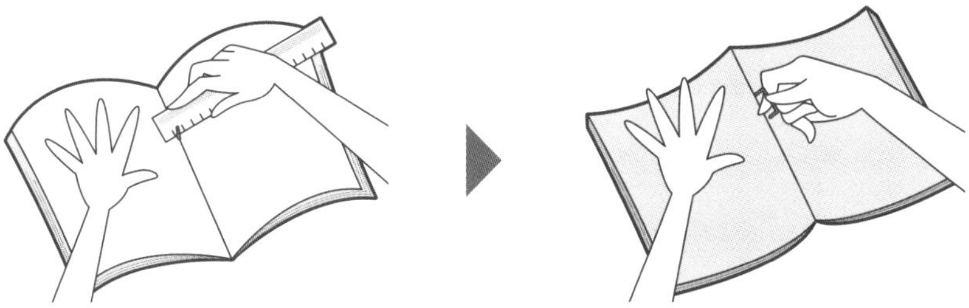

ホチキスの針を引き起こして　　ホチキスの針を２つとも外す

STEP3

第１回から第４回に分ければ準備完了です。計算用紙は真ん中にまとめて入っています。

- 問題・答案用紙の取り外し動画公開中！
  アクセス方法は９ページを参照してください。
- 作業中のケガには十分お気をつけください。
- 取り外しの際の損傷についてのお取り替えはご遠慮願います。

答案用紙はダウンロードもご利用いただけます。

TAC出版書籍販売サイト、サイバーブックストアにアクセスしてください。

TAC出版　検索

受験番号
氏名
生年月日　　.　.

（無断転載を禁ず）

3 級

日商簿記検定試験対策

2024年度試験をあてるTAC予想模試
（2024年9～12月試験対応）

問題・答案用紙

（制限時間　60分）

第 1 回

TAC 簿記検定講座

受験者への注意事項

1．答えは、指示に従い定められたところに、誤字・脱字のないよう、ていねいに書いてください。
2．答案の記入にあたっては、黒鉛筆または黒シャープペンシルを使用してください。
3．問題および答案用紙の余白は計算用紙として使用できますが、解答欄にかからないように注意してください。
4．仕訳問題を解答する際の注意事項
仕訳問題の解答にあたっては、勘定科目の使用は、借方・貸方の中でそれぞれ1回ずつとしてください（各設問で、同じ勘定科目を借方・貸方の中で2回以上使用すると、不正解となります）。

（例）（仕　入）　10,000（現　金）　2,000
（買掛金）　8,000

ア．現金　イ．買掛金　ウ．仕入

〈正解〉

	借方		貸方	
	記号	金額	記号	金額
1	（ ウ ）	10,000	（ ア ）	2,000
	（　）		（ イ ）	8,000

〈不正解〉

	借方		貸方	
	記号	金額	記号	金額
1	（ ウ ）	2,000	（ ア ）	2,000
	（ ウ ）	8,000	（ イ ）	8,000

同じ勘定科目を借方で2回使用しているため不正解

第1問（45点）

下記の各取引について仕訳しなさい。ただし、勘定科目は設問ごとに最も適当と思われるものを選び、答案用紙の（　　）の中に記号で解答すること。なお、消費税は指示がある問題のみ考慮すること。

1．山梨商事株式会社から商品を仕入れ、商品代価￥850,000と当社負担の送料￥6,000をあわせて掛けとした。

ア．仕入　　イ．発送費　　ウ．買掛金
エ．前受金　　オ．現金　　カ．前払金

2．得意先岩手株式会社に対する売掛金￥720,000のうち、￥50,000は普通為替証書（郵便為替証書）で、￥450,000は同社振出しの小切手で受け取った。なお、残額￥220,000については、以前に返品を受けていたが未処理であった。

ア．現金　　イ．当座預金　　ウ．仕入
エ．売上　　オ．受取手形　　カ．売掛金

3．得意先に対する前期発生の売掛金￥160,000が回収不能となったため、貸倒れの処理を行う。なお、貸倒引当金残高は￥70,000である。

ア．貸倒引当金繰入　　イ．償却債権取立益　　ウ．売掛金
エ．現金　　オ．貸倒損失　　カ．貸倒引当金

4．前期の決算において、当座預金Ａ銀行勘定が￥320,000の貸方残高であったため、当座借越勘定に振り替えていた。当該当座借越について、期首に再振替仕訳を行う。

ア．当座預金Ａ銀行　　イ．当座預金Ｃ銀行　　ウ．当座借越
エ．支払利息　　オ．貸付金　　カ．現金

5．土地付き建物（購入代価は土地￥6,000,000、建物￥8,500,000）を購入し、代金とともに不動産会社への手数料（それぞれ購入代価の２％）および印紙税（￥20,000）も含めて普通預金口座から振り込んだ。なお、印紙税は費用処理する。

ア．支払手数料　　イ．租税公課　　ウ．建物
エ．土地　　オ．普通預金　　カ．貯蔵品

6．商品￥120,000を売り上げ、代金のうち￥50,000は現金で受け取り、残額は掛けとした取引について、入金伝票を次のように作成したとき、振替伝票に記入される仕訳を答えなさい。なお、３伝票制を採用しており、商品売買の記帳は３分法による。

入　金　伝　票
×5年2月28日
（売掛金）　50,000

ア．売上原価　　イ．売上　　ウ．現金
エ．売掛金　　オ．当座預金　　カ．仕入

7．かねて借方計上されていた現金過不足￥18,000の原因を調査したところ、当社が所属する団体の会費￥18,000の支払いが未記帳であることが判明した。

ア．諸会費　　イ．現金　　ウ．受取手数料
エ．現金過不足　　オ．売上　　カ．仕入

8．週末に用度係より、次のとおり１週間分の小口現金に関する支払報告を受けた。なお、当社は定額資金前渡制（インプレスト・システム）を採用しているが、用度係に対する小口現金は、週明けに普通預金口座から引き出して補給する。また、ＩＣカードについては、チャージの報告時に旅費交通費勘定で処理している。

ＩＣカードチャージ	￥　40,000	（全額電車・バス料金支払いのために使用している）
ハガキ・切手代	￥　6,000	
事務用品・文房具代	￥　10,000	
収入印紙	￥　2,000	

ア．小口現金　　イ．租税公課　　ウ．旅費交通費
エ．通信費　　オ．普通預金　　カ．消耗品費

総合点

2024年度

ＴＡＣ予想模試

第１回答案用紙

3　級　①

採点欄	
第1問	

商業簿記

第１問（45点）

	借方		貸方	
	記号	金額	記号	金額
1	(　　)		(　　)	
	(　　)		(　　)	
	(　　)		(　　)	
	(　　)		(　　)	
2	(　　)		(　　)	
	(　　)		(　　)	
	(　　)		(　　)	
	(　　)		(　　)	
3	(　　)		(　　)	
	(　　)		(　　)	
	(　　)		(　　)	
	(　　)		(　　)	
4	(　　)		(　　)	
	(　　)		(　　)	
	(　　)		(　　)	
	(　　)		(　　)	
5	(　　)		(　　)	
	(　　)		(　　)	
	(　　)		(　　)	
	(　　)		(　　)	
6	(　　)		(　　)	
	(　　)		(　　)	
	(　　)		(　　)	
	(　　)		(　　)	
7	(　　)		(　　)	
	(　　)		(　　)	
	(　　)		(　　)	
	(　　)		(　　)	
8	(　　)		(　　)	
	(　　)		(　　)	
	(　　)		(　　)	
	(　　)		(　　)	

（次ページに続く）

9．Ｘ銀行の普通預金口座から￥1,000,000およびＹ銀行の普通預金口座から￥600,000を、Ｘ銀行の当座預金口座へ振り込んだ。その際に、手数料￥300がＹ銀行の普通預金口座から引き落とされた。

ア．当座預金Ｘ銀行　イ．当座預金Ｙ銀行　ウ．受取手数料
エ．普通預金Ｘ銀行　オ．普通預金Ｙ銀行　カ．支払手数料

10．電子記録債権￥900,000が決済され、同額が当座預金口座に振り込まれた。

ア．買掛金　イ．電子記録債務　ウ．電子記録債権
エ．売掛金　オ．受取手形　カ．当座預金

11．出張から戻った従業員から、旅費交通費として計￥66,000を支払ったとの報告書および領収書を受け取った。なお、従業員が出張へ出発する前に概算払いしていた￥75,000と支出額との差額は現金で受け取った。

ア．仮受金　イ．通信費　ウ．旅費交通費
エ．現金　オ．小口現金　カ．仮払金

12．当社従業員Ｄより融資の申し込みがあり、普通預金口座より￥1,500,000を従業員Ｄの銀行口座に振り込んだ。

ア．当座預金　イ．普通預金　ウ．従業員貸付金
エ．借入金　オ．現金　カ．従業員立替金

13．決算につき、郵便切手の未使用分￥6,000と収入印紙の未使用分￥2,000を貯蔵品勘定へ振り替えた。

ア．通信費　イ．租税公課　ウ．消耗品費
エ．法定福利費　オ．現金　カ．貯蔵品

14．当期決算整理後の収益の勘定残高は￥4,810,000であり、内訳は総売上高￥4,710,000、売上戻り高￥18,000、受取手数料勘定￥76,000、受取利息勘定￥42,000であった。これらを損益勘定に振り替えた。

ア．受取手数料　イ．損益　ウ．支払手形
エ．資本金　オ．売上　カ．受取利息

15．かねて岡山株式会社から約束手形を受け取り￥3,000,000を貸し付けていたが、満期となり、同額が当座預金口座に振り込まれたため、約束手形を同社に返却した。

ア．受取手形　イ．手形借入金　ウ．当座預金
エ．現金　オ．支払手形　カ．手形貸付金

2024年度
ＴＡＣ予想模試
第１回答案用紙

３　級　②

採　点　欄	
第1問	

商　業　簿　記

（前ページより）

	借　方		貸　方	
	記　号	金　額	記　号	金　額
9	（　　）		（　　）	
	（　　）		（　　）	
	（　　）		（　　）	
	（　　）		（　　）	
10	（　　）		（　　）	
	（　　）		（　　）	
	（　　）		（　　）	
	（　　）		（　　）	
11	（　　）		（　　）	
	（　　）		（　　）	
	（　　）		（　　）	
	（　　）		（　　）	
12	（　　）		（　　）	
	（　　）		（　　）	
	（　　）		（　　）	
	（　　）		（　　）	
13	（　　）		（　　）	
	（　　）		（　　）	
	（　　）		（　　）	
	（　　）		（　　）	
14	（　　）		（　　）	
	（　　）		（　　）	
	（　　）		（　　）	
	（　　）		（　　）	
15	（　　）		（　　）	
	（　　）		（　　）	
	（　　）		（　　）	
	（　　）		（　　）	

第２問（20点）

⑴　下記の取引について答案用紙の各勘定に記入しなさい。当会計期間は×5年３月31日を決算日とする１年である。ただし、勘定科目等は以下の中から選び、**ア～コの記号で解答**すること。なお、記号は何度使用してもよい。

ア．現金　　イ．支払利息　　ウ．前払利息　　エ．未払利息　　オ．普通預金
カ．未払　　キ．前払　　ク．未収　　ケ．前受　　コ．損益

①　×3年８月１日　当社は甲銀行から￥8,000,000の借入れを行った（借入期間１年、年利率３％、利息は返済時に支払う）。

②　×4年３月31日　決算整理を行った。

③　×4年４月１日　前期末に計上した未払利息勘定について期首再振替仕訳を行う。

④　×4年６月１日　当社は新たに乙銀行から￥6,000,000の借入れを行った（借入期間１年、年利率2.7％、利息は返済時に支払う）。

⑤　×4年７月31日　甲銀行に対して、借入金の返済および利息の支払を現金により行った。

⑥　×5年３月31日　決算整理を行った。

⑦　×5年３月31日　決算整理後の支払利息勘定の残高を損益勘定に振り替える（決算振替仕訳）。

（注）解答にあたっては上記に示した資料以外を考慮する必要はない。

受験番号
氏名
生年月日　　　．　．

3級

日商簿記検定試験対策

2024年度試験をあてるTAC予想模試

（2024年9～12月試験対応）

問題・答案用紙

（制限時間　60分）

第2回

TAC簿記検定講座

受験者への注意事項

1．答えは、指示に従い定められたところに、誤字・脱字のないよう、ていねいに書いてください。
2．答案の記入にあたっては、黒鉛筆または黒シャープペンシルを使用してください。
3．問題および答案用紙の余白は計算用紙として使用できますが、解答欄にかからないように注意してください。
4．仕訳問題を解答する際の注意事項
　仕訳問題の解答にあたっては、勘定科目の使用は、借方・貸方の中でそれぞれ1回ずつとしてください（各設問で、同じ勘定科目を借方・貸方の中で2回以上使用すると、不正解となります）。

（例）（仕　入）　10,000（現　金）　2,000
　　　　　　　　　　　　（買掛金）　8,000

ア．現金　イ．買掛金　ウ．仕入

〈正解〉

	借方		貸方	
	記号	金額	記号	金額
1	（ウ）	10,000	（ア）	2,000
	（　）		（イ）	8,000

〈不正解〉

	借方		貸方	
	記号	金額	記号	金額
1	（ウ）	2,000	（ア）	2,000
	（ウ）	8,000	（イ）	8,000

同じ勘定科目を借方で2回使用しているため不正解

第1問（45点）

次の取引について仕訳しなさい。ただし、勘定科目は設問ごとにもっとも適当と思われるものを選び、答案用紙の（　　）の中に記号で解答すること。なお、消費税は指示がある問題のみ考慮すること。

1．商品￥520,000を仕入れ、代金のうち￥20,000はあらかじめ支払っていた手付金と相殺し、残額は掛けとした。

ア．前受金　　イ．仕入　　ウ．前払金
エ．売掛金　　オ．買掛金　　カ．仮受金

2．秋田株式会社に、商品￥65,000を販売した。代金については、秋田株式会社が所有する自治体発行の商品券￥25,000を受け取り、残額は掛けとした。

ア．売掛金　　イ．受取手形　　ウ．売上
エ．受取商品券　　オ．仕入　　カ．現金

3．会計係は小口現金係から次のような支払いの報告を受け、小口現金に関する記帳を行うとともに、ただちに現金にて小口現金を補給した。なお、インプレスト・システム（定額資金前渡制）を採用している。

通信費：￥6,000　旅費交通費：￥15,000　消耗品費：￥7,000

ア．消耗品費　　イ．貯蔵品　　ウ．現金
エ．通信費　　オ．旅費交通費　　カ．当座預金

4．当期に得意先栃木株式会社に商品を売り上げたことで発生した売掛金￥250,000が貸し倒れた。なお、貸倒引当金の残高は￥210,000である。

ア．貸倒引当金　　イ．貸倒損失　　ウ．貸倒引当金繰入
エ．売掛金　　オ．未払金　　カ．貸倒引当金戻入

5．従業員に対する給料総額￥5,000,000を支給する際に、前貸額￥225,000および所得税の源泉徴収額￥100,000、社会保険料￥750,000を控除した残額を現金で支払った。

ア．社会保険料預り金　　イ．給料　　ウ．現金
エ．従業員立替金　　オ．所得税預り金　　カ．仮受金

6．現金の帳簿残高は￥56,000、実際有高は￥53,000であった。不一致の原因を調査したところ、消耗品費の支払い￥2,000が記帳漏れとなっていることが判明したが、残額については期末決算まで継続して調査することにした。

ア．雑損　　イ．消耗品費　　ウ．雑益
エ．現金　　オ．現金過不足　　カ．未払金

7．決算において仮払消費税勘定残高が￥330,000、仮受消費税勘定残高が￥650,000であったので、納付すべき消費税の額を未払消費税として計上した。

ア．仮払消費税　　イ．仮受消費税　　ウ．未払消費税
エ．未払法人税等　　オ．租税公課　　カ．消耗品費

8．神奈川株式会社は、先月開催された株主総会で承認されていた株主への配当金￥420,000を当座預金口座から支払った。

ア．仮払金　　イ．当座預金　　ウ．利益準備金
エ．未払配当金　　オ．現金　　カ．未払金

総　合　点

2024年度

ＴＡＣ予想模試

第２回答案用紙

３　級　①

採　点　欄	
第1問	

商　業　簿　記

第１問（45点）

	借方 記号	借方 金額	貸方 記号	貸方 金額
1	（　　）		（　　）	
	（　　）		（　　）	
	（　　）		（　　）	
	（　　）		（　　）	
2	（　　）		（　　）	
	（　　）		（　　）	
	（　　）		（　　）	
	（　　）		（　　）	
3	（　　）		（　　）	
	（　　）		（　　）	
	（　　）		（　　）	
	（　　）		（　　）	
4	（　　）		（　　）	
	（　　）		（　　）	
	（　　）		（　　）	
	（　　）		（　　）	
5	（　　）		（　　）	
	（　　）		（　　）	
	（　　）		（　　）	
	（　　）		（　　）	
6	（　　）		（　　）	
	（　　）		（　　）	
	（　　）		（　　）	
	（　　）		（　　）	
7	（　　）		（　　）	
	（　　）		（　　）	
	（　　）		（　　）	
	（　　）		（　　）	
8	（　　）		（　　）	
	（　　）		（　　）	
	（　　）		（　　）	
	（　　）		（　　）	

（次ページに続く）

9．北陸商工銀行から￥800,000を借り入れ、約束手形を振り出した。これにともない借入期間の利息（日割計算）があらかじめ控除された金額が、当座預金口座に振り込まれた。なお、この借入金の借入期間は219日、利率は年５％である。なお、１年は365日とする。

ア．現金　　イ．支払手形　　ウ．手形借入金
エ．買掛金　　オ．当座預金　　カ．支払利息

10．期首に、前期末に費用勘定から貯蔵品勘定に振り替えた収入印紙￥3,000について、適切な勘定科目に振り戻した。

ア．現金　　イ．租税公課　　ウ．消耗品費
エ．通信費　　オ．前受金　　カ．貯蔵品

11．大分株式会社は、決算の結果、当期純損失￥8,900,000を計上した。

ア．仕入　　イ．貸倒損失　　ウ．資本金
エ．利益準備金　　オ．繰越利益剰余金　　カ．損益

12．山形物産株式会社は、会社の設立につき100株を１株の払込金額￥30,000で発行し、全株式について払い込みを受け、払込金額を当座預金に預け入れた。

ア．資本金　　イ．繰越利益剰余金　　ウ．損益
エ．当座預金　　オ．普通預金　　カ．現金

13．奈良株式会社は、店舗用建物の固定資産税￥280,000と営業で使用している車両運搬具の自動車税￥200,000の納税通知書が送付されてきたので、本日、現金で納付した。

ア．車両運搬具　　イ．現金　　ウ．租税公課
エ．当座預金　　オ．建物　　カ．減価償却費

14．北海道商事株式会社に商品￥85,000を売り上げ、代金は掛けとした。なお、当社負担の発送運賃￥5,000は現金で支払った。

ア．売掛金　　イ．未払金　　ウ．売上
エ．現金　　オ．立替金　　カ．発送費

15．本日の売上の内訳は、下記の売上集計表のとおりである。合計額のうち￥13,400は現金決済、残額はクレジット決済である。なお、クレジット会社への手数料（クレジット決済額の２％）も計上する。

売　上　集　計　表

×4年５月28日

品　　目	数　量	単　価	金　額
商品A	52	1,300	￥　67,600
商品B	35	1,660	￥　58,100
商品C	26	1,450	￥　37,700
	合　計		￥　163,400

ア．受取手数料　　イ．クレジット売掛金　　ウ．当座預金
エ．支払手数料　　オ．売上　　カ．現金

2024年度
ＴＡＣ予想模試
第２回答案用紙

３　級　②

採　点　欄	
第1問	

商　業　簿　記

（前ページより）

	借　方		貸　方	
	記　号	金　額	記　号	金　額
9	(　　)		(　　)	
	(　　)		(　　)	
	(　　)		(　　)	
	(　　)		(　　)	
10	(　　)		(　　)	
	(　　)		(　　)	
	(　　)		(　　)	
	(　　)		(　　)	
11	(　　)		(　　)	
	(　　)		(　　)	
	(　　)		(　　)	
	(　　)		(　　)	
12	(　　)		(　　)	
	(　　)		(　　)	
	(　　)		(　　)	
	(　　)		(　　)	
13	(　　)		(　　)	
	(　　)		(　　)	
	(　　)		(　　)	
	(　　)		(　　)	
14	(　　)		(　　)	
	(　　)		(　　)	
	(　　)		(　　)	
	(　　)		(　　)	
15	(　　)		(　　)	
	(　　)		(　　)	
	(　　)		(　　)	
	(　　)		(　　)	

第2問（20点）

(1) 次に示す備品の固定資産台帳（？は各自計算すること）により、備品勘定、減価償却累計額勘定と損益勘定の記入を示しなさい。ただし、勘定科目等は下記の中から最も適当と思われるものを選び、**ア～カの記号で記入**しなさい。備品は残存価額ゼロの定額法にもとづき減価償却が行われており、減価償却費は月割計算によって決算時に一括計上している。なお、会計期間は×6年4月1日から×7年3月31日までの1年間である。

ア．備　　品	イ．減価償却累計額	ウ．減価償却費	エ．前期繰越	オ．次期繰越
カ．繰越利益剰余金				

［備品］　　　固定資産台帳 ［×7年3月31日現在］　　　（単位：円）

取得年月日	名称	期末数量	耐用年数	期首(期中取得)取得原価	期首減価償却累計額	当期減価償却費
×3年7月28日	A	1	6年	990,000	453,750	?
×5年4月1日	B	1	10年	4,350,000	?	?
×6年10月10日	C	1	5年	2,400,000	0	?

受験番号

氏名

生年月日　　.　　.

（無断転載を禁ず）

３級　日商簿記検定試験対策

2024年度試験をあてるTAC予想模試
（2024年９～12月試験対応）

問題・答案用紙

（制限時間　60分）

第３回

TAC簿記検定講座

受験者への注意事項

1．答えは、指示に従い定められたところに、誤字・脱字のないよう、ていねいに書いてください。

2．答案の記入にあたっては、黒鉛筆または黒シャープペンシルを使用してください。

3．問題および答案用紙の余白は計算用紙として使用できますが、解答欄にかからないように注意してください。

4．仕訳問題を解答する際の注意事項

　仕訳問題の解答にあたっては、勘定科目の使用は、借方・貸方の中でそれぞれ１回ずつとしてください（各設問で、同じ勘定科目を借方・貸方の中で２回以上使用すると、不正解となります）。

（例）（仕　入）　10,000（現　金）　2,000
　　　　　　　　　　　（買掛金）　8,000

ア．現金　イ．買掛金　ウ．仕入

〈正解〉

	借方		貸方	
	記号	金額	記号	金額
1	（ウ）	10,000	（ア）	2,000
	（　）		（イ）	8,000

〈不正解〉

	借方		貸方	
	記号	金額	記号	金額
1	（ウ）	2,000	（ア）	2,000
	（ウ）	8,000	（イ）	8,000

同じ勘定科目を借方で２回使用しているため不正解

第1問（45点）

下記の各取引について仕訳しなさい。ただし、勘定科目は設問ごとに最も適当と思われるものを選び、答案用紙の（　　）の中に記号で解答すること。なお、消費税は指示がある問題のみ考慮すること。

1．仕入先兵庫株式会社に注文していた商品（本体価格￥150,000）が、本日到着した。商品代金のうち￥44,000（消費税込み）は、手付金としてあらかじめ支払済みであるためこれを差し引き、残額の￥121,000（消費税込み）は掛けとした。なお、消費税については、税率10%とする税抜方式で記帳する。

ア．当座預金　イ．前払金　ウ．仮払消費税
エ．仮受消費税　オ．買掛金　カ．仕入

2．法人税、住民税及び事業税の年間の確定額は￥720,000であった。なお、期中に中間申告を行い法人税、住民税及び事業税￥400,000を現金で納付していた。

ア．仮払法人税等　イ．未払法人税等　ウ．現金
エ．普通預金　オ．租税公課　カ．法人税、住民税及び事業税

3．富山商事へ商品￥436,000（送料込み）を売り渡し、合計額のうち￥100,000は手付金と相殺し、残額については同社振出しの約束手形を受け取った。なお、発送運賃￥6,000（費用処理する）については現金で支払った。

ア．現金　イ．受取手形　ウ．売掛金
エ．前受金　オ．売上　カ．発送費

4．コンビニエンスストアで、郵便切手￥11,000とともに、収入印紙￥6,000を現金で購入した。なお、これらはすぐに使用した。

ア．仕入　イ．消耗品費　ウ．通信費
エ．現金　オ．租税公課　カ．雑費

5．東西銀行から￥6,000,000を借り入れ、約束手形を振り出した。これにともない借入期間の利息（日割計算）があらかじめ控除された金額が、当座預金口座に振り込まれた。なお、この借入金の借入期間は146日、利率は年３％である。なお、１年は365日とする。

ア．現金　イ．支払手形　ウ．手形借入金
エ．買掛金　オ．当座預金　カ．支払利息

6．商品をクレジット払いで販売したことにより発生していたクレジット売掛金￥166,000について、本日決済され、普通預金口座へ振り込まれた。

ア．支払手数料　イ．普通預金　ウ．売上
エ．現金　オ．受取手形　カ．クレジット売掛金

7．高知物産株式会社は、取締役会の決議により未発行株式のうち5,000株を１株の払込金額￥400で発行し、全株式について払い込みを受け、払込金額を当座預金に預け入れた。

ア．資本金　イ．繰越利益剰余金　ウ．損益
エ．当座預金　オ．普通預金　カ．現金

8．取引先大分株式会社に貸し付けていた￥2,500,000（貸付期間：６か月、利率：年４％）について、本日、６か月分の利息とともに同社振り出しの小切手で返済を受けた。

ア．受取利息　イ．貸付金　ウ．借入金
エ．当座預金　オ．支払利息　カ．現金

総合点

採点欄	
第1問	

2024年度
TAC予想模試
第3回答案用紙

3級 ①

商業簿記

第1問（45点）

	借方		貸方	
	記号	金額	記号	金額
1	(　　)		(　　)	
	(　　)		(　　)	
	(　　)		(　　)	
	(　　)		(　　)	
2	(　　)		(　　)	
	(　　)		(　　)	
	(　　)		(　　)	
	(　　)		(　　)	
3	(　　)		(　　)	
	(　　)		(　　)	
	(　　)		(　　)	
	(　　)		(　　)	
4	(　　)		(　　)	
	(　　)		(　　)	
	(　　)		(　　)	
	(　　)		(　　)	
5	(　　)		(　　)	
	(　　)		(　　)	
	(　　)		(　　)	
	(　　)		(　　)	
6	(　　)		(　　)	
	(　　)		(　　)	
	(　　)		(　　)	
	(　　)		(　　)	
7	(　　)		(　　)	
	(　　)		(　　)	
	(　　)		(　　)	
	(　　)		(　　)	
8	(　　)		(　　)	
	(　　)		(　　)	
	(　　)		(　　)	
	(　　)		(　　)	

（次ページに続く）

9．山形株式会社は、取引銀行より、得意先長野株式会社に対する売掛金￥400,000について、電子債権記録機関において債権の発生記録が行われた旨の通知を受けた。

ア．電子記録債務　　イ．クレジット売掛金　　ウ．当座預金

エ．電子記録債権　　オ．売掛金　　カ．未収入金

10. 売掛金￥750,000（うち前期販売分￥510,000、当期販売分￥240,000）が貸し倒れた。なお、貸倒引当金の残高は￥420,000である。

ア．貸倒引当金繰入　　イ．貸倒引当金　　ウ．償却債権取立益

エ．貸倒引当金戻入　　オ．売掛金　　カ．貸倒損失

11. 愛知株式会社は、第４期の株主総会において、繰越利益剰余金￥15,000,000の一部を次のように処分することを決定した。

利益準備金の積み立て：￥200,000　　株主配当金：￥2,000,000

ア．繰越利益剰余金　　イ．利益準備金　　ウ．損益

エ．資本金　　オ．未払配当金　　カ．売上

12. 店舗建物の賃貸借契約を解除し、敷金￥1,800,000について、原状回復のための費用￥800,000を差し引かれた残額が普通預金口座（取引銀行はＡ銀行）に振り込まれた。

ア．普通預金Ａ銀行　　イ．当座預金Ａ銀行　　ウ．差入保証金

エ．支払地代　　オ．修繕費　　カ．建物

13. ×5年12月31日、石川株式会社は、第１期決算において、当期純利益￥1,650,000を計上した。

ア．繰越利益剰余金　　イ．雑益　　ウ．雑損

エ．雑費　　オ．資本金　　カ．損益

14. 以前に仮受金として処理していた内容不明の当座入金は、奈良株式会社から注文を受けた際の手付金の受取額￥70,000と静岡株式会社に対する掛け代金の回収額￥200,000であることが判明した。

ア．仮受金　　イ．前受金　　ウ．前払金

エ．仮払金　　オ．受取手形　　カ．売掛金

15. ２月16日にＩＣカードに現金をチャージした際に以下の領収書を受け取り、仮払金勘定で処理していたが、本日（２月22日）、ＩＣカード利用明細書が提出され、電車賃として使用した報告を受けたので、旅費交通費勘定に振り替えた。なお、当社は当ＩＣカードを交通手段についてのみ使用しており、２月16日までの旅費交通費はすべて適切に処理されている。

○○鉄道　　領収書

・ご利用ありがとうございます。
・この領収書は大切に保存してください。

お取引内容：チャージ　　￥30,000
上記金額を領収いたしました。

カード番号：ＪＥ303Ｄ×××××××××

ご利用日付××年２月16日
時刻　10時10分
伝票番号：123×××
○○鉄道株式会社
○○駅　券21発行

ＩＣカードご利用明細

カード番号：ＪＥ303Ｄ×××××××××
ご利用履歴　（最新××件）

月日	種別	利用場所	種別	利用場所	残額
2 10	入場	西○○	出場	南○○	2,000
2 16	現金	○○駅　券21			32,000
2 19	入場	北○○	出場	新××	28,000
2 22	入場	東○○	出場	西○○	23,000

ご利用ありがとうございます。
××年２月22日　　16時34分
西○○駅　　券９発行
○○鉄道株式会社

ア．仮払金　　イ．前払金　　ウ．買掛金

エ．旅費交通費　　オ．通信費　　カ．仮受金

2024年度
ＴＡＣ予想模試
第３回答案用紙

３　級　②

採　点　欄
第1問

商　業　簿　記

（前ページより）

	借　　方		貸　　方	
	記　号	金　額	記　号	金　額
9	（　　）		（　　）	
	（　　）		（　　）	
	（　　）		（　　）	
	（　　）		（　　）	
10	（　　）		（　　）	
	（　　）		（　　）	
	（　　）		（　　）	
	（　　）		（　　）	
11	（　　）		（　　）	
	（　　）		（　　）	
	（　　）		（　　）	
	（　　）		（　　）	
12	（　　）		（　　）	
	（　　）		（　　）	
	（　　）		（　　）	
	（　　）		（　　）	
13	（　　）		（　　）	
	（　　）		（　　）	
	（　　）		（　　）	
	（　　）		（　　）	
14	（　　）		（　　）	
	（　　）		（　　）	
	（　　）		（　　）	
	（　　）		（　　）	
15	（　　）		（　　）	
	（　　）		（　　）	
	（　　）		（　　）	
	（　　）		（　　）	

第2問（20点）

(1)　下記の資料にもとづいて、答案用紙の各勘定の空欄にあてはまる語句または金額を答えなさい。当社の会計期間は3月31日を決算日とする1年である。

　ただし、勘定記入に用いる勘定科目に関しては、下記の選択肢の中から最も適当であると思われるものを選び、**ア～コの記号で解答**すること。なお、記号は何度使用してもよい。

ア．法人税等　　イ．損益　　ウ．現金　　エ．普通預金　　オ．未払法人税等

カ．仮払法人税等　　キ．繰越利益剰余金　　ク．前期繰越　　ケ．次期繰越　　コ．諸口

［資料］

×6年3月31日　×5年度の決算において、法人税等¥1,260,000を計上し、全額を未払法人税等として処理している。

×6年5月29日　確定申告を行い、法人税等¥1,260,000を現金で納付した。

×6年11月28日　中間申告を行い、法人税等¥630,000を普通預金から納付した。

×7年3月31日　×6年度の決算において、税引前当期純利益の30%を法人税等として計上した。

受験番号
氏名
生年月日　　.　　.

3級

日商簿記検定試験対策

2024年度試験をあてるTAC予想模試
（2024年9～12月試験対応）

問題・答案用紙

（制限時間　60分）

第4回

TAC簿記検定講座

受験者への注意事項

1．答えは、指示に従い定められたところに、誤字・脱字のないよう、ていねいに書いてください。
2．答案の記入にあたっては、黒鉛筆または黒シャープペンシルを使用してください。
3．問題および答案用紙の余白は計算用紙として使用できますが、解答欄にかからないように注意してください。
4．仕訳問題を解答する際の注意事項
　仕訳問題の解答にあたっては、勘定科目の使用は、借方・貸方の中でそれぞれ1回ずつとしてください（各設問で、同じ勘定科目を借方・貸方の中で2回以上使用すると、不正解となります）。

（例）（仕　入）　10,000（現　金）　2,000
　　　　　　　　　　　（買掛金）　8,000

ア．現金　イ．買掛金　ウ．仕入

〈正解〉

	借方		貸方	
	記号	金額	記号	金額
1	（ウ）	10,000	（ア）	2,000
	（　）		（イ）	8,000

〈不正解〉

	借方		貸方	
	記号	金額	記号	金額
1	（ウ）	2,000	（ア）	2,000
	（ウ）	8,000	（イ）	8,000

同じ勘定科目を借方で2回使用しているため不正解

第1問（45点）

下記の各取引について仕訳しなさい。ただし、勘定科目は設問ごとに最も適当と思われるものを選び、答案用紙の（　）の中に記号で解答すること。なお、消費税は指示がある問題のみ考慮すること。

1．岩手株式会社から掛けで仕入れた商品￥540,000のうち、￥40,000分を品違いのため返品した。なお、返品額は掛代金から控除すること。

ア．現金　　イ．当座預金　　ウ．未払金
エ．売掛金　　オ．買掛金　　カ．仕入

2．商品￥7,000,000を売り渡し、代金のうち￥600,000はあらかじめ受け取っていた手付金と相殺し、残額については、クレジットカードによる決済であった。なお、信販会社へのクレジット手数料は2％であり、販売時に計上する。

ア．売上　　イ．支払手数料　　ウ．売掛金
エ．受取手形　　オ．クレジット売掛金　　カ．前受金

3．得意先に対する売掛金（前期販売分）￥33,000が貸し倒れた。なお、貸倒引当金の残高は￥120,000である。

ア．売掛金　　イ．貸倒損失　　ウ．売上
エ．未払金　　オ．貸倒引当金　　カ．現金

4．取引先群馬株式会社に￥2,500,000を貸し付け、同額の約束手形を受け取り、利息￥45,000を差し引いた残額を当社の普通預金口座から群馬株式会社の普通預金口座に振り込んだ。

ア．普通預金　　イ．現金　　ウ．手形貸付金
エ．手形借入金　　オ．支払利息　　カ．受取利息

5．買掛金￥300,000を当座預金口座から支払った。ただし、支払前の当座預金残高は￥234,000（借方）であり、当社は銀行と借越限度額￥1,800,000の当座借越契約を締結している。

ア．当座預金　　イ．買掛金　　ウ．現金
エ．雑費　　オ．普通預金　　カ．売掛金

6．パソコン販売業を営む大阪株式会社は、兵庫株式会社から販売用のパソコン￥245,000を購入し、納品書とともにパソコンを受け取った。代金合計のうち、以前に手付金として支払った金額￥50,000を差し引き、残額を月末に支払うこととした。なお、パソコンの運送費￥5,000は現金で支払った。

ア．現金　　イ．備品　　ウ．前払金
エ．買掛金　　オ．仕入　　カ．売上

7．月末に現金の実査を行ったところ、現金の実際有高が帳簿残高より￥6,000過剰であることが判明したため、帳簿残高と実際有高を一致させる処理を行うとともに、引き続き原因を調査することとした。なお、当社では、現金過不足の雑益または雑損勘定への振り替えは、決算時に行うこととしている。

ア．雑益　　イ．雑損　　ウ．現金過不足
エ．現金　　オ．前受金　　カ．貯蔵品

8．建物の改良と修繕を行い、その代金￥900,000を小切手を振り出して支払った。なお、このうち￥650,000は免震工事のための支出であり、残額は破損した窓の修理費である。

ア．建物　　イ．当座預金　　ウ．減価償却費
エ．修繕費　　オ．資本金　　カ．現金

総　合　点

2024年度
ＴＡＣ予想模試
第４回答案用紙

３　級　①

採　点　欄	
第1問	

商　業　簿　記

第１問（45点）

	借　　方		貸　　方	
	記　　号	金　　額	記　　号	金　　額
1	（　　）		（　　）	
	（　　）		（　　）	
	（　　）		（　　）	
	（　　）		（　　）	
2	（　　）		（　　）	
	（　　）		（　　）	
	（　　）		（　　）	
	（　　）		（　　）	
3	（　　）		（　　）	
	（　　）		（　　）	
	（　　）		（　　）	
	（　　）		（　　）	
4	（　　）		（　　）	
	（　　）		（　　）	
	（　　）		（　　）	
	（　　）		（　　）	
5	（　　）		（　　）	
	（　　）		（　　）	
	（　　）		（　　）	
	（　　）		（　　）	
6	（　　）		（　　）	
	（　　）		（　　）	
	（　　）		（　　）	
	（　　）		（　　）	
7	（　　）		（　　）	
	（　　）		（　　）	
	（　　）		（　　）	
	（　　）		（　　）	
8	（　　）		（　　）	
	（　　）		（　　）	
	（　　）		（　　）	
	（　　）		（　　）	

（次ページに続く）

9．6月5日、本年度の雇用保険料（概算）¥295,000を現金で一括納付した。このうち会社負担分は、¥187,000であり、残額は従業員負担分（月額相当額¥9,000）である。従業員負担分は、4～5月分については過去の給料から毎月月額相当額を差し引いているため、これを充当するが、6月以降の10か月分は会社が概算で立て替えて支払う。

ア．現金　　イ．給料　　ウ．所得税預り金
エ．社会保険料預り金　　オ．従業員立替金　　カ．法定福利費

10. 電子記録債務¥400,000の支払期日が到来し、普通預金口座より引き落とされた旨の連絡を受けた。

ア．現金　　イ．普通預金　　ウ．未払金
エ．電子記録債権　　オ．電子記録債務　　カ．支払手形

11. 事務所備品（取得日：×4年7月1日、取得原価：¥600,000、残存価額：ゼロ、耐用年数6年）を、×6年1月1日（期首）に¥400,000で売却し、代金の全額がA銀行の普通預金口座に振り込まれた。減価償却費は定額法で計算し、記帳は間接法を用いている。なお、決算日は12月31日である。

ア．備品減価償却累計額　　イ．備品　　ウ．固定資産売却損
エ．普通預金A銀行　　オ．固定資産売却益　　カ．減価償却費

12. 茨城株式会社は、事務所として利用する目的でビルの1フロアについて賃借契約を締結した。なお、事務所を借りた際に敷金¥2,250,000、2か月分の家賃¥900,000及び仲介手数料¥120,000を普通預金口座から支払った。

ア．差入保証金　　イ．普通預金　　ウ．支払地代
エ．借入金　　オ．支払手数料　　カ．支払家賃

13. 得意先から、前期に貸倒れとして処理した売掛金¥180,000のうち¥35,000が回収され、当座預金口座に振り込まれたが、誤って貸方を売掛金と処理していたことが判明したので、本日これを訂正する。訂正にあたっては、取引記録のすべてを訂正する方法ではなく、記録の誤りのみを部分的に修正する方法によること。

ア．当座預金　　イ．貸倒引当金　　ウ．売掛金
エ．貸倒損失　　オ．現金　　カ．償却債権取立益

14. かねて約束手形を振り出して借り入れていた¥2,000,000の満期日になり、同額が当座預金口座から引き落とされるとともに、約束手形の返却を受けた。

ア．手形借入金　　イ．受取手形　　ウ．支払手形
エ．支払利息　　オ．手形貸付金　　カ．当座預金

15. 税務署から送付された下記の納付書（領収済通知書）にもとづいて、法人税を普通預金口座より振り込んだ。

領収済通知書

税目	
	法人税

本　　税	¥450,000
○○○税	
△△△税	
×××税	
合計額	¥450,000

納期等	×7.04.01
の区分	×8.03.31
(中間申告)（丸囲み）	確定申告

出納印
×7.10.11
××銀行

住所	福島県○○市○○
氏名	福島株式会社

ア．普通預金　　イ．当座預金　　ウ．仮払法人税等
エ．未払法人税等　　オ．未払消費税　　カ．租税公課

2024年度
ＴＡＣ予想模試
第４回答案用紙
３ 級 ②

採　点　欄	
第1問	

商 業 簿 記

（前ページより）

	借　方		貸　方	
	記　号	金　額	記　号	金　額
9	(　　)		(　　)	
	(　　)		(　　)	
	(　　)		(　　)	
	(　　)		(　　)	
10	(　　)		(　　)	
	(　　)		(　　)	
	(　　)		(　　)	
	(　　)		(　　)	
11	(　　)		(　　)	
	(　　)		(　　)	
	(　　)		(　　)	
	(　　)		(　　)	
12	(　　)		(　　)	
	(　　)		(　　)	
	(　　)		(　　)	
	(　　)		(　　)	
13	(　　)		(　　)	
	(　　)		(　　)	
	(　　)		(　　)	
	(　　)		(　　)	
14	(　　)		(　　)	
	(　　)		(　　)	
	(　　)		(　　)	
	(　　)		(　　)	
15	(　　)		(　　)	
	(　　)		(　　)	
	(　　)		(　　)	
	(　　)		(　　)	

第2問（20点）

(1)　下記の取引にもとづいて答案用紙の各勘定を作成しなさい。会計期間は３月31日を決算日とする１年である。ただし、[　] に用いる勘定科目等は以下の中から選び、**ア～サの記号で解答**すること。

ア．現金　　イ．支払地代　　ウ．未払地代　　エ．前払地代　　オ．損益
カ．未払　　キ．前払　　ク．未収　　ケ．前受　　コ．前期繰越　　サ．次期繰越

①　×6年４月１日　前期末に計上した前払地代勘定¥600,000について期首再振替仕訳を行う。
②　×6年８月１日　地代１年分（10%値上げしている）を現金で支払った。なお、地代の支払いは毎期８月１日に１年分を前払いしている。
③　×7年３月31日　本日決算につき、地代の未経過額を月割計算により計上する（決算整理仕訳）。
④　×7年３月31日　決算整理後の地代勘定の残高を損益勘定に振り替える（決算振替仕訳）。
（注）解答にあたっては上記に示した資料以外を考慮する必要はない。

計算用紙

計算用紙

計算用紙

計算用紙

2024年度
TAC予想模試
第4回答案用紙
3　級　③

採　点　欄	
第2問	

商　業　簿　記

第2問（20点）

(1)

支　払　地　代

×6年4月1日	[　　]	(　　　　)	×7年3月31日	[　　]	(　　　　)
×6年8月1日	[　　]	(　　　　)	〃	損　益	(　　　　)
		(　　　　)			(　　　　)

[　　] 地　代

×6年4月1日	前期繰越	(　　　　)	×6年4月1日	[　　]	(　　　　)
×7年3月31日	[　　]	(　　　　)	×7年3月31日	[　　]	(　　　　)
		(　　　　)			(　　　　)

損　　益

×7年3月31日	売上原価	52,500,000	×7年3月31日	売　上	87,000,000
〃	給　料	10,500,000	〃	受取手数料	500,000
〃	減価償却費	8,250,000			
〃	支払地代	(　　　　)			
〃	繰越利益剰余金	(　　　　)			
		(　　　　)			(　　　　)

(2) 当社は×4年4月1日に設立し、当期で第2期をむかえている。下記の第1期と第2期の資料にもとづき、第2期の繰越利益剰余金勘定の空欄①〜⑤に入る適当な勘定科目・語句、金額を答えなさい。ただし、勘定科目・語句については、下記の選択肢より適当と思われるものを選び記号で解答すること。

ア．現金　　イ．普通預金　　ウ．未払金　　エ．資本金　　オ．利益準備金　　カ．損益
キ．前期繰越　　ク．次期繰越

〈資　料〉

第1期（×4年4月1日〜×5年3月31日：前期）

(a) 決算（3月31日）において、当期純利益¥1,620,000を計上した。

(b) 第1期には配当は行っていない。

第2期（×5年4月1日〜×6年3月31日：当期）

(c) 6月25日に開催された株主総会において、繰越利益剰余金残高から次のように処分することが決議された。

・株主配当金　¥600,000

・配当に伴う利益準備金の積立て　¥60,000

(d) 6月28日に、株主配当金¥600,000を普通預金口座から支払った。

(e) 決算（3月31日）において、当期純利益¥1,850,000を計上した。

繰越利益剰余金

×5年6/25	未払配当金	（　①　）	×5年4/1	前期繰越	（　②　）
×5年6/25	（　③　）	（　　）	×6年3/31	（　④　）	（　　）
×6年3/31	（　　）	（　⑤　）			
		（　　）			（　　）

2024年度
ＴＡＣ予想模試
第４回答案用紙

３　級　④

採　点　欄	
第2問	

商　業　簿　記

(2)

①	②	③	④	⑤

第3問（35点）

次の決算整理前残高試算表、および決算整理事項等にもとづいて、損益計算書と貸借対照表を完成しなさい。会計期間は、×5年4月1日から×6年3月31日までの1年間である。なお、消費税の仮受け・仮払いは売上取引・仕入取引のみで行うものとする。

決算整理前残高試算表

×6年3月31日

借　　方	勘 定 科 目	貸　　方
60,055,000	現　　　　　金	
	現　金　過　不　足	12,500
58,254,000	当　座　預　金	
11,907,000	受　取　手　形	
13,608,000	売　　掛　　金	
3,487,050	仮　払　消　費　税	
100,000	仮　　払　　金	
3,240,000	仮　払　法　人　税　等	
4,252,500	繰　越　商　品	
15,300,000	備　　　　　品	
	支　払　手　形	19,509,660
	買　　掛　　金	10,206,000
	仮　　受　　金	825,000
	仮　受　消　費　税	6,998,400
	借　　入　　金	21,060,000
	社会保険料預り金	254,340
	貸　倒　引　当　金	340,200
	備品減価償却累計額	5,865,000
	資　　本　　金	64,800,000
	繰越利益剰余金	19,378,650
	売　　　　　上	69,984,000
	受　取　手　数　料	3,061,800
34,870,500	仕　　　　　入	
3,486,450	給　　　　　料	
3,300,000	広　告　宣　伝　費	
3,900,000	支　払　家　賃	
1,944,000	法　定　福　利　費	
1,786,050	支　払　利　息	
2,805,000	減　価　償　却　費	
222,295,550		222,295,550

［決算整理事項等］

1．商品￥300,000（本体価格）を仕入れ、代金は10％の消費税を含めて支払手形を振り出し支払っていたが、この取引の処理が漏れていたことが判明した。

2．仮払金￥100,000は、かねて消耗品の購入のため従業員へ概算払いしていたものであるが、すでに従業員が消耗品￥87,500を購入しており、従業員から残金￥12,500を受け取り済みであることが判明した。なお、受け取った残金は現金過不足と一致しており、購入額は費用処理する。

3．仮受金￥825,000は、得意先からの売掛金の振り込みであることが判明した。

4．売上債権の期末残高に対して２％の貸倒れを見積もる。貸倒引当金の設定は差額補充法による。

5．期末商品の棚卸高は￥5,103,000であった。なお、売上原価は仕入勘定で計算する。

6．備品について定額法により減価償却を行う。

耐用年数：５年

残存価額：０（ゼロ）

減価償却費については、備品の期首の残高を基礎として￥255,000を４月から２月までの11か月間にわたり毎月見積り計上してきており、決算月も同様な処理を行う。

7．消費税の処理（税抜方式）を行う。

8．毎月の広告宣伝費を翌月末に支払う契約をしているため、３月分の広告宣伝費￥300,000を未払計上する。

9．偶数月の月末にむこう２か月分の家賃￥600,000を支払っているため、決算にあたり適切に処理する。

10．当期の法人税、住民税及び事業税は￥6,300,000と算定された。仮払法人税等との差額は未払法人税等として計上する。

2024年度
ＴＡＣ予想模試
第４回答案用紙

３　級　⑤

採　点　欄	
第3問	

商　業　簿　記

第３問（35点）

損　益　計　算　書

×5年（　　）月（　　）日～×6年（　　）月（　　）日　　　　（単位：円）

費　　用	金　　額	収　　益	金　　額
売上原価	（　　　）	売上高	69,984,000
給料	3,486,450	受取手数料	（　　　）
広告宣伝費	（　　　）		
支払家賃	（　　　）		
法定福利費	1,944,000		
貸倒引当金繰入	（　　　）		
減価償却費	（　　　）		
消耗品費	（　　　）		
支払利息	1,786,050		
法人税、住民税及び事業税	（　　　）		
当期純利益	（　　　）		
	（　　　）		（　　　）

貸　借　対　照　表

×6年（　　）月（　　）日　　　　（単位：円）

資　　産	金　　額		負債及び純資産	金　　額
現金		60,055,000	支払手形	（　　　）
当座預金		58,254,000	買掛金	10,206,000
受取手形	11,907,000		未払法人税等	（　　　）
貸倒引当金	（△　　　）	（　　　）	未払消費税	（　　　）
売掛金	（　　　）		未払費用	（　　　）
貸倒引当金	（△　　　）	（　　　）	借入金	21,060,000
商品		（　　　）	社会保険料預り金	254,340
前払費用		（　　　）	資本金	64,800,000
備品	15,300,000		繰越利益剰余金	（　　　）
減価償却累計額	（△　　　）	（　　　）		
		（　　　）		（　　　）

2024年度
ＴＡＣ予想模試
第３回答案用紙

３　級　③

採　点　欄	
第2問	

商　業　簿　記

第２問（20点）

(1)

法　人　税　等

×7年３/31	[　　]	(　　　)	×7年３/31	[　　]	(　　　)

仮払法人税等

×6年11/28	[　　]	(　　　)	×7年３/31	[　　]	(　　　)

未払法人税等

×6年５/29	[　　]	(　　　)	×6年４/１	[　　]	(　　　)
×7年３/31	[　　]	(　　　)	×7年３/31	[　　]	(　　　)
		(　　　)			(　　　)

損　　　益

×7年３/31	仕　　入	12,600,000	×7年３/31	売　　上	22,150,000
〃	給　　料	2,900,000			
〃	支払家賃	550,000			
〃	[　　]	(　　　)			
〃	[　　]	(　　　)			
		(　　　)			(　　　)

(2) 当社の、９月中における売掛金に関する取引の勘定記録は次のとおりである。下記の空欄のうち、(①)～(④)に入る適切な金額を答えなさい。なお、当社の得意先は神奈川商店と埼玉商店の２店のみであり、各勘定は毎月末に締め切っている。

総勘定元帳

売掛金

9/1	前月繰越	90,000	9/3	当座預金	3,000
6	売上	90,000	7	現金	80,000
8	売上	50,000	12	当座預金	40,000
21	売上	70,000	15	現金	(　　)
			22	売上	5,000
			28	当座預金	(③)
			30	次月繰越	60,000
		(　　)			(　　)

得意先元帳

神奈川商店

9/1	前月繰越	10,000	9/3	回収	(　　)
8	売上	(　　)	12	回収	(　　)
21	売上	(　　)	22	返品	(②)
			28	回収	60,000
			30	次月繰越	(④)
		(　　)			(　　)

埼玉商店

9/1	前月繰越	(①)	9/7	回収	(　　)
6	売上	90,000	15	回収	52,000
			30	次月繰越	(　　)
		(　　)			(　　)

2024年度
ＴＡＣ予想模試
第３回答案用紙

３　級　④

採　点　欄	
第2問	

商　業　簿　記

(2)

①	②	③	④

第３問（35点）

次の決算整理前残高試算表、および決算整理事項にもとづいて、答案用紙の決算整理後残高試算表を完成しなさい。会計期間は、×5年４月１日から×6年３月31日までの１年間である。

〔A〕決算整理前残高試算表

決算整理前残高試算表
×6年３月31日

借　方	勘定科目	貸　方
10,234,000	現金	
852,000	受取手形	
2,158,000	売掛金	
	貸倒引当金	28,500
552,300	繰越商品	
282,500	仮払消費税	
382,000	仮払法人税等	
3,600,000	建物	
	建物減価償却累計額	300,000
1,350,000	備品	
	備品減価償却累計額	93,750
920,000	土地	
	支払手形	503,650
	買掛金	905,000
	借入金	660,000
	仮受消費税	819,200
	資本金	8,200,000
	繰越利益剰余金	4,762,550
	売上	8,192,000
2,825,000	仕入	
805,750	給料	
105,600	租税公課	
381,000	支払家賃	
16,500	支払利息	
24,464,650		24,464,650

〔B〕決算整理事項

1．期末商品棚卸高は¥601,200である。なお、売上原価は仕入勘定で計算する。

2．売上債権（受取手形および売掛金）の期末残高に対して、貸倒実績率１％、差額補充法により貸倒引当金を設定する。

3．有形固定資産について、次の要領で定額法により減価償却を行う。
　建物：耐用年数30年　残存価額ゼロ
　備品：耐用年数６年　残存価額ゼロ

4．購入時に租税公課として処理していた収入印紙の未使用高が¥52,800あるため、貯蔵品勘定へ振り替える。

5．当期における家賃、および借入金の利息に対し、月割計算により適切な処理を行う。
　①　支払家賃の契約条件
　　店舗建物の貸借によるもので、×5年８月１日に向こう１年分を前払いしている。
　②　借入金の契約条件
　　借入日：×6年２月１日、返済日：×7年１月31日、利率：年2.5％、利息は借入時に支払っている。そこで、前払分を適切に処理する。

6．消費税の処理（税抜方式）を行う。

7．当期の法人税、住民税及び事業税は¥1,186,200と算定された。仮払法人税等との差額は未払法人税等として計上する。

2024年度
ＴＡＣ予想模試
第３回答案用紙

３　級　⑤

採　点　欄	
第3問	

商　業　簿　記

第３問（35点）

決算整理後残高試算表

×6年３月31日

借　　方	勘定科目	貸　　方
10,234,000	現金	
852,000	受取手形	
2,158,000	売掛金	
	貸倒引当金	
	繰越商品	
	貯蔵品	
	（　　　）家賃	
	（　　　）利息	
3,600,000	建物	
	建物減価償却累計額	
1,350,000	備品	
	備品減価償却累計額	
920,000	土地	
	支払手形	503,650
	買掛金	905,000
	借入金	660,000
	未払消費税	
	未払法人税等	
	資本金	8,200,000
	繰越利益剰余金	4,762,550
	売上	8,192,000
	仕入	
805,750	給料	
	租税公課	
	支払家賃	
	貸倒引当金繰入	
	減価償却費	
	支払利息	
	法人税、住民税及び事業税	

2024年度
ＴＡＣ予想模試
第２回答案用紙

３　級　③

採　点　欄	
第2問	

商　業　簿　記

第２問（20点）

(1)

備　　品

×6年4/1	前期繰越	(　　　)	×7年3/31	次期繰越	(　　　)
×6年10/10	現　　金	(　　　)			
		(　　　)			(　　　)
×7年4/1	前期繰越	(　　　)			

減価償却累計額

×7年3/31	次期繰越	(　　　)	×6年4/1	前期繰越	(　　　)
			×7年3/31	[　　　]	(　　　)
		(　　　)			(　　　)
			×7年4/1	前期繰越	(　　　)

損　　益

×7年3/31	売上原価	4,650,000	×7年3/31	売　　上	8,280,000
〃	減価償却費	(　　　)	〃	その他収益	720,000
〃	その他費用	1,830,000			
〃	[　　　]	(　　　)			
		(　　　)			(　　　)

⑵　山梨株式会社は、主要簿以外に答案用紙の補助簿を用いている。次に示す１～５の取引がどの補助簿に記入されるか、該当する補助簿の欄に〇印を記入しなさい。なお、該当しない補助簿の欄には何も記入しないこと。

１．静岡株式会社より商品￥300,000を仕入れ、内金￥30,000を控除した残額のうち、￥105,000は約束手形を振り出し、残額は月末に支払うことにした。

２．長野株式会社に商品￥570,000を売り渡し、代金として同社振り出しの約束手形￥420,000を受け取り、残額は月末に受け取ることにした。なお、そのさい当社負担の発送費￥1,500を現金で支払った。

３．現金の実際有高が帳簿残高より￥51,000不足していたので、現金過不足勘定で処理していたが、原因を調査したところ、本日、埼玉株式会社に対する買掛金支払額￥60,000と、手数料の受取額￥9,000の記帳漏れであることが判明した。

４．東京株式会社に対して掛けで売り渡した商品の代金￥600,000を、同社振り出しの小切手で受け取った。

５．千葉株式会社に対して掛けで売り渡した商品のうち、一部が品違いであったため￥18,000の返品があった。

2024年度
ＴＡＣ予想模試
第２回答案用紙

３　級　④

採　点　欄	
第2問	

商　業　簿　記

(2)

	現金出納帳	当座預金出納帳	受取手形記入帳	支払手形記入帳	得意先元帳	仕入先元帳	仕入帳	売上帳	商品有高帳
1									
2									
3									
4									
5									

第3問（35点）

次の決算整理前残高試算表、および決算整理事項等にもとづいて、損益計算書と貸借対照表を完成しなさい。なお、消費税の仮受け・仮払いは売上取引・仕入取引のみで行い、税抜方式で処理する。会計期間は、×5年４月１日から×6年３月31日までの１年である。

決算整理前残高試算表

×6年３月31日

借　　方	勘　定　科　目	貸　　方
29,160,000	現　　　　金	
8,406,000	普　通　預　金	
12,676,000	当　座　預　金	
5,779,000	受　取　手　形	
9,609,000	売　　掛　　金	
1,530,900	仮　　払　　金	
2,704,700	仮　払　消　費　税	
1,250,000	仮　払　法　人　税　等	
2,635,000	繰　越　商　品	
13,875,000	備　　　　品	
	支　払　手　形	7,849,000
	買　　掛　　金	8,802,000
	借　　入　　金	9,120,000
	仮　受　消　費　税	4,075,600
	社会保険料預り金	124,900
	貸　倒　引　当　金	192,100
	備品減価償却累計額	2,775,000
	資　　本　　金	36,563,000
	繰越利益剰余金	10,115,000
	売　　　　上	40,756,000
	受　取　手　数　料	3,753,000
27,047,000	仕　　　　入	
1,041,000	給　　　　料	
1,773,000	広　告　宣　伝　費	
4,066,000	支　払　家　賃	
1,491,000	法　定　福　利　費	
1,082,000	支　払　利　息	
124,125,600		124,125,600

［決算整理事項等］

1. 仮払金¥1,530,900はすべて仕入先に対する買掛金を決済したことによる支払い額であることが判明した。
2. 商品¥200,000を販売し、代金は10％の消費税も含めた合計額を掛けとしたが、未処理であった。
3. 広告宣伝費¥57,000を普通預金口座から支払ったが、未記帳であった。
4. 売上債権の期末残高に対して1.5％の貸倒れを見積もる。貸倒引当金の設定は差額補充法による。
5. 期末商品の棚卸高は¥3,474,000であった。なお、売上原価は仕入勘定で計算する。
6. 備品について、残存価額をゼロとした定額法により減価償却を行う。なお、備品の詳細は次のとおりであり、当期に取得した分については、月割計算を行う。

	取得年月日	取得原価	耐用年数
備品Ａ	×4年４月１日	¥11,100,000	４年
備品Ｂ	×5年10月１日	¥ 2,775,000	５年

7. 手数料の未収分が¥175,700ある。
8. 支払家賃は、店舗建物の賃借によるもので、当期10月１日に向こう１年分として支払ったものである。
9. 法定福利費の未払分が¥139,460ある。
10. 消費税の処理（税抜処理）を行う。
11. 当期の法人税、住民税及び事業税は¥2,460,000と算定された。仮払法人税等との差額は未払法人税等として計上する。

2024年度
ＴＡＣ予想模試
第２回答案用紙

３　級　⑤

採　点　欄	
第3問	

商　業　簿　記

第３問（35点）

損　益　計　算　書

×5年（　　）月（　　）日～×6年（　　）月（　　）日　　（単位：円）

費　　用	金　　額	収　　益	金　　額
売上原価	(　　　)	売上高	(　　　)
給料	1,041,000	受取手数料	(　　　)
広告宣伝費	(　　　)		
支払家賃	(　　　)		
法定福利費	(　　　)		
貸倒引当金繰入	(　　　)		
減価償却費	(　　　)		
支払利息	1,082,000		
法人税、住民税及び事業税	(　　　)		
当期純利益	(　　　)		
	(　　　)		(　　　)

貸　借　対　照　表

×6年（　　）月（　　）日　　（単位：円）

資　　産	金　　額		負債及び純資産	金　　額
現金		29,160,000	支払手形	7,849,000
普通預金		(　　　)	買掛金	(　　　)
当座預金		12,676,000	借入金	9,120,000
受取手形	(　　　)		社会保険料預り金	124,900
貸倒引当金	(△　　　)	(　　　)	未払費用	(　　　)
売掛金	(　　　)		未払消費税	(　　　)
貸倒引当金	(△　　　)	(　　　)	未払法人税等	(　　　)
商品		(　　　)	資本金	36,563,000
前払費用		(　　　)	繰越利益剰余金	(　　　)
未収収益		(　　　)		
備品	13,875,000			
減価償却累計額	(△　　　)	(　　　)		
		(　　　)		(　　　)

2024年度
ＴＡＣ予想模試
第１回答案用紙

３　級　③

採　点　欄
第2問

商　業　簿　記

第２問（20点）

⑴

支　払　利　息

×4年７/31	[　]	〈　〉	×4年４/１	[　]	〈　〉
×5年３/31	[　]	〈　〉	×5年３/31	[　]	〈　〉
		〈　〉			〈　〉

[　] 利　息

×4年４/１	[　]	〈　〉	×4年４/１	前期繰越	〈　〉
×5年３/31	次期繰越	〈　〉	×5年３/31	[　]	〈　〉
		〈　〉			〈　〉
			×5年４/１	前期繰越	〈　〉

⑵　以下に示すＣ商品の取引等について、商品有高帳に記入しなさい（商品有高帳は締め切らなくてよい）。なお、Ｃ商品の払出単価は移動平均法によって算定している。また、仕入戻しがあった場合は払出欄に記入する。

11月１日　Ｃ商品の月初有高は¥1,050,000（単価¥210×5,000個）であった。
11月８日　Ｃ商品を単価¥217で2,000個仕入れた。
11月12日　Ｃ商品を単価¥630で5,500個売り上げた。
11月21日　Ｃ商品を単価¥244で2,500個仕入れた。
11月24日　21日に仕入れたＣ商品のうち800個が品違いであったことが判明し、返品した。

2024年度
ＴＡＣ予想模試
第１回答案用紙

３　級　④

採　点　欄	
第2問	

商　業　簿　記

⑵

商　品　有　高　帳

×4年		摘　要	受　　入			払　　出			残　　高		
			数量	単価	金額	数量	単価	金額	数量	単価	金額
11	1										
	8										
	12										
	21										
	24										

第3問（35点）

次の［**決算整理事項等**］にもとづいて、**問**に答えなさい。なお、消費税の仮受け・仮払いは、売上取引・仕入取引についてのみ行うものとする。会計期間は×2年４月１日から×3年３月31日までの１年間である。

［**決算整理事項等**］

1．当期の12月１日に備品￥150,000を購入し普通預金口座から支払い、同日から使用していたが未処理である。

2．売掛代金の普通預金口座への入金￥75,000の取引が、誤って借方・貸方ともに￥57,000と記帳されていたので、その修正を行った。

3．現金過不足の原因を調べたところ、郵便切手代（郵送に使用済み）￥36,600の記帳漏れが判明した。残額は原因不明のため、適切に処理する。

4．当座預金勘定の貸方残高全額を当座借越勘定に振り替える。なお、当社は取引銀行との間で￥750,000を借越限度額とする当座借越契約を締結している。

5．売掛金の期末残高に対して２％の貸倒引当金を差額補充法で設定する。

6．消費税の処理（税抜方式）を行う。

7．期末商品棚卸高は￥1,110,000である。なお、売上原価の計算には仕入勘定を用いる。

8．建物および備品について、定額法による減価償却を行う。なお、当期中に取得した備品については月割りで減価償却費を計上する。

　　建物：残存価額ゼロ　耐用年数20年

　　備品：残存価額ゼロ　耐用年数10年

9．借入金は、期間１年、年利率３％、利息は借入時に支払う条件で、×2年10月１日に借り入れたものである。そこで、利息の前払分を月割で適切に処理する。

10．保険料の前払分が￥25,800ある。

11．税引前の利益に対して30％の法人税、住民税及び事業税を計上する。なお、中間納付は行っていない。

問１　答案用紙の精算表を完成しなさい。

問２　決算整理後の備品の帳簿価額を答えなさい。

2024年度
ＴＡＣ予想模試
第１回答案用紙

３　級　⑤

採　点　欄	
第３問	

商　業　簿　記

第３問（35点）

問１

精　　算　　表

（単位：円）

勘定科目	残高試算表		修正記入		損益計算書		貸借対照表	
	借　方	貸　方	借　方	貸　方	借　方	貸　方	借　方	貸　方
現　金	913,200							
現金過不足	37,800							
普通預金	660,000							
当座預金		162,000						
売掛金	2,358,000							
仮払消費税	1,281,600							
繰越商品	1,368,000							
建　物	7,920,000							
備　品	3,780,000							
土　地	3,600,000							
買掛金		990,000						
借入金		1,800,000						
仮受消費税		1,957,800						
貸倒引当金		54,000						
建物減価償却累計額		1,353,000						
備品減価償却累計額		1,638,000						
資本金		4,800,000						
繰越利益剰余金		4,829,000						
売　上		19,573,000						
仕　入	12,816,000							
給　料	2,220,000							
通信費	45,000							
保険料	103,200							
支払利息	54,000							
	37,156,800	37,156,800						
雑（　　　）								
当座借越								
貸倒引当金（　）入								
（　　　）消費税								
減価償却費								
（　　　）利息								
（　　　）保険料								
法人税、住民税及び事業税								
（　　　）法人税等								
当期純（　　　）								

問２

¥　（　　　　　　　）

TAC
出版